2012年全国高等学校建筑与环境设计专业教师

美术作品集

中国建筑学会建筑师分会建筑美术专业委员会
全国高等学校建筑学学科专业指导委员会
主办
北京建筑工程学院　编

中国建筑工业出版社

图书在版编目（CIP）数据

2012年全国高等学校建筑与环境设计专业教师美术作品集 / 北京建筑工程学院编. —北京：中国建筑工业出版社，2012.5
ISBN 978-7-112-14254-5

Ⅰ. ①2… Ⅱ. ①北… Ⅲ. ①绘画－作品综合集－中国－现代 Ⅳ. ①J221

中国版本图书馆CIP数据核字（2012）第074671号

责任编辑：唐　旭　陈　皓
责任校对：王誉欣　关　健

2012年全国高等学校建筑与环境设计专业教师
美术作品集

中国建筑学会建筑师分会建筑美术专业委员会
全国高等学校建筑学学科专业指导委员会　主办
北京建筑工程学院　编

*

中国建筑工业出版社出版、发行（北京西郊百万庄）
各地新华书店、建筑书店经销
华鲁印联（北京）科贸有限公司制版
北京画中画印刷有限公司印刷

*

开本：880×1230毫米　1/16　印张：$15\frac{3}{4}$　字数：470千字
2012年5月第一版　2012年5月第一次印刷
定价：148.00元
ISBN 978-7-112-14254-5
(22312)

展览与出版资助：

北京建筑工程学院北京市财政专项

“学科建设与研究生教育—设计学”

“专业建设—艺术设计”

“专业建设—工业设计”

“人才强教深化计划—建筑与环境模拟（设计）实验中心教学团队”

序　一

日前，东南大学赵军教授前来找我，告诉我《2012年全国高等学校建筑与环境设计专业教师美术作品集》和《2012年全国高等学校建筑与环境设计专业教师美术研究论文集》两本书已经定稿，不日即将出版，嘱我为之写序。我虽不是美术家，但是作为建筑学教师和建筑师，对美术始终喜爱，加之美术教学一直是建筑学教学不可分割的部分，对此也有一些思考。因此，不揣冒昧，欣然命笔，为之作一短序。

《2012年全国高等学校建筑与环境设计专业教师美术作品集》收录了全国建筑与环境设计专业教师们的美术作品，涵盖油画、水彩、水粉、壁画、雕塑等，门类齐全，题材丰富，体现了教师们高雅的审美情趣，深厚的美术功底，精湛的表现技巧和不懈的艺术追求，令人十分欣喜。

《2012年全国高等学校建筑与环境设计专业教师美术研究论文集》则收录了全国建筑与环境设计专业教师们的学术论文，内容涵盖了教师们美术和设计教学研究的成果，美术创作技法的揣摩，艺术理论探究的结晶和艺术设计的心得。林林总总，丰富多彩，阅后亦颇有收获。

这两本书的出版，展示了全国建筑和环境设计专业教师们近年来的研究和创作的成果，体现了教师们的艺术素养和专业精神。有这样的教师，有这样的追求，有这样的水平，何愁我们建筑与环境设计专业的美术教学不会有更大的发展，更优的建树。

关于建筑学和美术的关系，最近有两件事不得不提及。一是数月前，我参加了在中央美术学院举行的中国美术家协会建筑分会的成立活动，一批建筑师成为该会的委员，自然也就成了中国美术家协会的成员。由此可见建筑和美术的渊源。二是赵军教授曾来找我，希望原先隶属于建筑学会建筑师分会的建筑美术教学委员会，能够加入全国高等学校建筑学专业指导委员会，成为其下设的教学工作委员会之一。此议即将成为现实，由此可见建筑教学和美术教学的关系。

这里还值得一提的是，建筑学美术教学的传统，近年来已有许多的突破。如东南大学试图用视觉设计来融合美术教学和设计初步教学，已取得丰硕成果，其他不少学校这方面也有很大的突破，这些都是值得为之鼓而呼的努力和尝试。

最后，祝愿全国所有高等学校建筑与环境设计专业有更大的发展，教师们有更为丰硕的成果。建筑与环境设计学科教学和美术教学更加水乳交融，培养更多的具有美术素养和艺术情怀的建筑师和设计师。

东南大学教授　博士生导师
全国高等学校建筑学专业指导委员会　主任

仲德崑
2012年4月16日
于南京半山灯庐

序　二　回顾与展望

中国建筑学会建筑师分会建筑美术专业委员会从1990年开始筹备就得到了中国科学院院士、东南大学齐康教授，中国科学院及中国工程院两院院士、清华大学吴良镛教授，中国工程院院士、东南大学钟训正教授，中国建筑学会秘书长、教授级高级工程师张祖刚先生等老一辈的关心与支持。在全国高等学校建筑学学科专业委员会的指引下，来自东南大学的金允铨教授、清华大学的刘凤兰教授、重庆大学的漆德琰教授、天津大学的张又新教授、同济大学的杨义辉教授、北京建筑工程学院的刘骥林教授等12所著名高校的美术教师相约在东南大学建筑学院，为建筑美术专业委员会的成立出谋划策，并开展了2年1次的美术教学研讨会活动。在众多老前辈的精心筹备组织、全国建筑院校广大美术教师的积极参与下，2003年，建筑美术专业委员会（筹委会）加入中国建筑学会，正式成立中国建筑学会建筑师分会建筑美术专业委员会。

在20多年的发展历程中，全国高等学校建筑学学科专业指导委员会和中国建筑学会的历届领导对建筑美术专业委员会的发展和学术研究给予了大力的帮助与支持。此次，《2012年全国高等学校建筑与环境设计专业教师美术作品集》与《2012年全国高等学校建筑与环境设计专业教师美术研究论文集》的出版，得到全国高等学校建筑学学科专业委员会、北京建筑工程学院建筑与城市规划学院、中国建筑工业出版社的大力支持。画集共收录教师美术作品290幅，有油画、中国画、水彩画、水粉画、壁画、雕塑等美术类型，作品表现题材广泛，形式多样，集中展示了近年来美术教师们的创作成果。论文集共收录了教师学术研究论文83篇，从论文选题来看，研究的内容涉及诸多方面，不仅有对建筑美术基础教学方法、教学改革与实践的研究，绘画创作探索心得的总结，还有结合本专业设计教学与工程实践等方面的研究成果。从发表的美术作品与论文来看，其质量有了较大提高；另外，此次活动参与的高校与教师的数量也是历次最多的。

近现代中国的建筑设计教育，在梁思成、杨廷宝、刘敦桢、童寯等一代宗师的开创下，已沿革了近90年，而李剑晨、吴冠中、华宜玉、关广志等老一辈建筑美术教育家为我国的建筑美术教育与建筑设计人才的培养做出了巨大的贡献；尤其是在改革开放的30多年期间，在以金允铨、刘凤兰、漆德琰、杨义辉、刘骥林等教授为主要骨干成员的建筑美术专业委员会领导班子带领下，我国建筑美术教学与改革研究得到空前的发展，使我国的建筑院校美术教育开创了新的局面。

中国建筑学会建筑师分会建筑美术专业委员会从筹备到正式成立，共召开了11届全国高等院校建筑与环境设计专业美术教学研讨会。在历届教学研讨会上，成功举办了教师美术作品展，各高校学生优秀美术作品交流展，并出版了多部全国高等院校建筑与环境设计专业美术教师论文集、美术作品集、学生优秀作品集，多套建筑美术系列教材，举办了全国高等院校建筑与环境设计专业学生美术作品大奖赛。

全国高等院校建筑与环境美术设计专业美术教学研讨会活动的开展，对我国建筑学科与环境艺术设计专业美术教学体系架构的建立，教学改革与创新，以及美术创作与理论的研究，产生了积极的推动作用，对我国高等院校建筑学学科与环境设计专业的发展与人才培养发挥了重要的作用。

回顾过去的23年，建筑美术专业委员会之所以能取得如此丰硕的成果，是因为我们有一个高素质的领导群体，以及广大美术教师的支持与积极参与。历届全国高等院校建筑美术与环境设计专业美术教学研讨会的成功举办都得到了各级组织与各主办单位领导及出版社的大力支持。成绩属于过去，展望未来，我们还有许多工作要做。在中国建筑学会建筑师分会、全国高等学校建筑学学科专业委员会的领导下，我们将广泛地团结全国高等院校建筑与环境设计专业的广大美术教师，不断提高自身学术水平，潜心从事教学研究，积极开展国内外教学经验交流，为培养与造就新一代建筑师而做出我们应有的贡献。

中国建筑学会建筑师分会建筑美术专业委员会　主任
东南大学教授

赵军

2012年4月18日

前　言

我国城乡建设事业的发展带动了高等院校建筑与环境设计领域相关学科专业建设，也形成了具有中国特色的建筑美术教学体系和多样化的发展格局，体现出高等院校各自的办学优势和特色。

为展示近年来我国高等学校建筑美术创作与研究面貌，展望“十二五”发展愿景，促进建筑与环境设计类专业教师美术创作与学术研究成果交流，经中国建筑学会建筑师分会建筑美术专业委员会、全国高等学校建筑学学科专业指导委员会（以下简称两委员会）与我校共同商定，由两委员会主办，由我校承办，在北京举办“2012年（首届）全国高等学校建筑与环境设计专业教师美术作品邀请展”，同时由中国建筑工业出版社出版《2012年全国高等学校建筑与环境设计专业教师美术作品集》和《2012年全国高等学校建筑与环境设计专业教师美术研究论文集》，展览期间举行相关学术研讨活动。

我校始建于1936年的北平市立高级工业职业学校土木工程科，至今已有70余年的历史，是北京市属唯一一所土建类高等院校。学校坚持“立足首都，面向全国，依托建筑行业，服务城乡建设”的办学目标定位，逐步形成了以工学为主，理、工、管、法、艺、农等学科相互支撑、协调发展的多科性建筑大学。2002年成为首都城市规划、建设、管理的人才培养基地和科技服务基地，2011年成为北京高等学校“城乡建设与管理”产、学、研联合研究生培养基地。

本次展览筹备、作品集及论文集执行主编等工作由我校建筑与城市规划学院（简称建筑学院）承担。建筑学院在多年开展建筑美术教学建设，取得突出成绩的基础上，近年在建筑遗产美术学科方向上开展了相关研究和人才培养，形成了一定的特色。

面向本科生教育，建筑学院现设置有建筑学、城市规划（含风景园林方向）、工业设计、历史建筑保护工程、艺术设计5个专业。1996年以来，建筑学专业连续4次通过了全国高等学校建筑学专业（学士、硕士）教育质量评估；2011年，城市规划专业通过了住房和城乡建设部高等学校城市规划专业（学士）教育质量评估，我校也因此成为国内12所通过住房和城乡建设部高等学校全部6个专业教育质量评估的高校之一。“十一五”期间，建筑学院成为建筑学专业教育部特色专业建设点和北京市特色专业建设点；1个北京高等学校实验教学示范中心、1个北京高等学校校外人才培养基地（依托中国城市规划设计研究院）；1个教学团队荣获北京市优秀教学团队称号；1门课程被评为北京市精品课程；2部教材被评为北京市精品教材；1位教师被评为北京市教学名师；学院荣获北京市教育教学成果奖（高等教育）一等奖、二等奖各1项等“质量工程”建设成果。

在学科建设与研究生教育方面，建筑学院现建有建筑学一级学科北京市重点学科、城市规划与设计二级学科北京市重点学科（2011年对应调整为城乡规划学一级学科）；建有“代表性建筑与古建筑数据库”教育部工程研究中心、“绿色建筑与节能技术”北京地区普通高等学校北京市级重点实验室、“北京建筑文化研究”北京哲学社会科学基地等省部级科研平台；具有2个北京市学术创新团队；具有建筑学、城乡规划学、风景园林学、设计学4个硕士学位授权一级学科点，自主设置有建筑遗产保护硕士学位授权交叉学科点，具有建筑与土木工程硕士专业学位授权领域点。

在本次展览筹备，作品集和论文集的组稿和编审等工作中，我校得到了两委员会的指导和帮助，同时得到了全国相关高等院校和建筑与环境设计专业教师们的积极响应。

自2011年12月20日发出征稿通知起至2012年2月29日征稿截止，我校共收到来自全国65所学校教师提交的美术作品300余件、美术研究论文100余篇。征稿结束后，我校请两委员会的部分专家对论文稿件进行了函评，并将专家提出的修改意见及时反馈给作者，组织论文修改。

2011年4月7日，以东南大学建筑学院赵军教授为组长的两委员会部分专家组成的评审组，莅临我校检查指导作品集和论文集的组稿、编辑工作。专家组对稿件进行了认真的评审，就邀请展的筹备工作提出了指导意见，并与中国建筑工业出版社编辑人员等就出版工作进行了商讨。确定付梓的作品集共收录156名教师创作作品290件，论文集共收录论文83篇，2012年5月由中国建筑工业出版社出版；确定“美术作品邀请展”于2012年10月在北京展览馆举办。

两委员会主办的“美术作品邀请展”和主持出版作品集、论文集为全国高等院校建筑与环境设计专业教师搭建了良好的学术交流平台。我校通过承办工作也得到了向兄弟院校学习，为大家服务的好机会。我校承办工作之中挂一漏万之处还望海涵。

感谢中国建筑学会建筑师分会建筑美术专业委员会、全国高等学校建筑学学科专业指导委员会长期以来对我校建筑与环境设计相关学科专业建设和建筑美术教学工作的指导和帮助！

感谢相关高等院校和建筑与环境设计专业教师们对展览筹备和出版工作的积极支持和配合！

感谢中国建筑工业出版社的大力支持和编辑们的辛勤工作！

感谢为展览筹备、作品集和论文集出版工作甘当志愿者的老师们、同学们、朋友们！

春天躬耕播种，夏日锄禾浇灌，秋季收割采摘，岁岁立德树人。让我们共同携手，不断提升建筑美术教学水平，促进学科专业建设，为培养符合国家需要的合格人才做贡献！

执行主编

北京建筑工程学院

陈静勇

2012年4月20日

壬辰年谷雨

目　录

刘凤兰

清华大学建筑学院教授，中国美术家协会会员。

曾在清华大学、东南大学、青岛画院、北京荣宝斋、北京国贸中心及798艺术区举办个展，多次参加全国美术作品展、全国水彩大展、中国百年水彩画展及国际水彩画交流展。

出版《刘凤兰水彩画集》两部、《刘凤兰风景水彩写生与创作》、《素描教程》、《水彩教程》。

作品入编《美术》、《中国现代美术全集·水彩卷》、《今日中国美术》、《中国当代艺术》、《水彩艺术》、《艺术家年鉴》。

曾获法国尼斯国际造型艺术大展吉列特奖。

水乡周庄

喀什巴扎之一

喀什巴扎之二

白桦林

杨义辉

江苏人，1933年生，著名水彩画家、美术教育家。中国建筑美术专业委员会名誉主任，上海水彩画工作委员会顾问。1955年始任教于同济大学，长期从事建筑学科美术教育，曾任美术教研室主任。1978年组建上海水彩画研究会，并任副会长。两次应邀赴德国达姆斯达特、马堡等城市的高等院校举办个人画展、研习班及讲学。

退休前，曾任全国高等学校建筑美术教学系列教学用书编辑委员会副主任并主编《素描》一书。1996年应聘上海交通大学兼职教授，筹建建筑系，并任苏州城建环保学院客座教授。1994年应中国电视大学之邀主讲“水彩教学二十讲”。其作品风格细腻、情韵深婉，亦不乏遒劲之作。

落红铺径

水乡

曲径通幽处

江南三月春

刘骥林

1961年于中央美术学院雕塑系本科毕业。

1961~1978年曾于贵州大学艺术系、贵州省艺校、贵州省博物馆任教或工作。

1980年于中央美术学院雕塑系研究生班毕业。

1981~1997年北京建筑工程学院建筑系任教。

对歌

詹天佑纪念馆浮雕

舞乐神州

王　宣

1944年生于天津，1968年毕业于首都师范大学。

1983年7月~2004年9月任教于北京建筑工程学院建筑系，副教授。

风景之一

风景之二

风景之三

赵　军

1987年毕业于中央工艺美术学院（现清华大学美术学院），1993年毕业于南京艺术学院研究生班，现为中国建筑学会建筑师分会建筑美术专业委员主任，国际商业美术设计师协会（ICAD）中国地区环境艺术设计委员会景观设计专业委员，中国建筑学会室内设计分会教育委员会委员，中国建筑学会会员。现任教于东南大学建筑学院环境艺术设计系。

1997年获国家级教学改革成果二等奖，2004年获中国建筑装饰协会授予的“全国杰出中青年室内设计师”称号。已出版专著十几部，发表论文及美术作品几十篇、幅。美术作品和设计作品多次入选全国性展览和设计大展并获奖。

奔向未来　作者：赵军　曾伟

白桦林

许村夏日

程　远

1952年生于北京。清华大学建筑学院教授、建筑美术研究所所长、建筑学院学术委员会委员，全国建筑美术协会副主任。出版建筑美术论著多部。

蓝色调

民族

董　雅

1957年生，1982年毕业于中央工艺美术学院，现为天津大学建筑学院教授、博士生导师。兼任教育部高等学校艺术类专业教学指导委员会委员，中国艺术研究院客座教授、博士生导师，中国美术家协会环境设计艺术委员会委员。现主要从事建筑环境艺术以及公共艺术的教学与设计工作，并同时致力于中国画的创作。作品在国内及中国香港、澳大利亚、法国等地举办联展与个展，并被收藏。

九州生气恃风雷

润物细无声

山涧

张　奇

1955年生于上海，1978年毕业于中国美术学院油画系，现为同济大学建筑城规学院教授，中国建筑美术专业委员会副主任委员，上海美术家协会水彩画工作委员会理事，上海美术家协会会员。曾参加上海上山下乡知青画展、意大利国际米兰作品展、日本长野第18回冬季作品展、全国第八届美展上海作品展、全国第六届水彩上海作品展、中日美术作品交流展、中韩水彩作品交流展等。

曾两度赴德国，并在上海美术馆、上海朵云轩等地举办个人画展。

出版《张奇画集》、《素描》、《色彩》等十余部专著。

上海电视台曾做专题报道《吐纳英华——访画家张奇》。

春天

春韵

冬韵

王　兵

1961年出生于甘肃甘南。
1980年毕业于河西学院美术系（原张掖师范专科学校）。
1984年赴中央美术学院深造。
1988年任甘肃画院专业画师，任创作研究室主任。
1988年考入德国杜塞尔多夫国家艺术学院，师从Klapheck教授，2000年获得Meister学位，同年转入Ar.penck教授工作室。
2003年获得杜塞尔多夫国家艺术学院Akademie Brief学位。
2004年回国任教。
现任中央美术学院建筑学院造型部主任，教授。
硕士研究所导师，博士在读。
中国美术家协会会员。
中国版画家协会会员。
德国艺术家联合会会员。
获1994年全国版画铜质奖。
第九届全国美展优秀奖。
获1995年全国藏书票展金质奖。
获1996年全国版画展银质奖。
获2000年中国鲁迅版画奖。
获2000年英国木版画基金会1999~2000年度奖学金。
获2003年德国Heinrich Boll基金会2000~2003年度奖学金。
获2004年中国北京国际版画双年展经典奖。

风中牧羊女

文部人

阳坡

高　冬

中国建筑学会建筑美术分会秘书长，北京水彩画艺委会副会长。

1979年9月~1983年7月于天津美术学院工艺系装潢专业学习，获学士学位 。

1983~1998年河北工业大学建筑系任讲师、副教授。

1998年至今清华大学建筑学院任教， 副教授。研究和教学方向：水彩艺术表现、公共艺术。

青岛老建筑

千年时光2

圆明园冬雪

华 炜

1955年生，浙江宁海人。

毕业于华中师范大学艺术系。

现任华中科技大学建筑与城市规划学院教授、硕士研究生导师、艺术设计系副主任、湖北美术院特聘艺术家，中国美术家协会会员、中国建筑学会会员、中国建筑美术专业委员会秘书长。

作品入选第九、第十届全国美术作品展览、中国艺术大展及中国百年水彩画展等全国展览。

作品获第四届全国水彩水粉画展览及全国首届小幅水彩画展铜奖。

传略收入《中国现代美术全集·水彩卷》、《中国水彩画史》、《中国水彩画图史》等典籍。

主要著作：《华炜水彩画作品集》、《中国美术名家作品·华炜》、《设计素描》、《设计色彩》、《建筑美术实景写生与表现》、《中国传统建筑的石窗艺术》。

边城夏日

晨光

制陶人

陈飞虎

湖南大学建筑学院副院长、教授、博士生导师，湖南省美术家协会副主席，中国美术家协会会员，中国建筑学会会员，湖南省土木建筑学会常务理事。作品曾入选第一届至第七届“全国水彩粉画展”，第三届至第七届“中国水彩画大展”，第八届至第十届“全国美术作品展”。作品多件赴美国、英国、加拿大、日本、新加坡、俄罗斯、荷兰等国家和中国香港、台湾地区展览，不少作品被国内外美术馆、博物馆、艺术中心和高等院校收藏。2011年4月获巴黎艺术节美术作品一等奖。出版有《中国当代艺术家画库——陈飞虎卷》、《水彩画风景表现技法》、《电脑建筑画艺术表现》、《陈飞虎水彩画选》、《环境艺术概论》、《建筑色彩学》、《艺术与生活哲学》等专著，200余件美术作品在国内外画册书刊发表。

小巷深处

秋收季节

沂溪河畔

郑庆和

1982年毕业于内蒙古师范大学美术系，1991结业于广州美术学院环艺设计研修班，现为内蒙古工业大学建筑学院艺术设计系主任、教授、硕士生导师，主要研究方向为室内设计及美术学。

现为中国工艺美术研究会会员、中国室内装饰协会设计委员会委员、内蒙古美术家协会会员、内蒙古室内装饰协会常务理事、内蒙古室内装饰协会教育委员会副主任、内蒙古室内设计专家组成员，多次参与评定室内设计招投标及工程验收工作。

曾在广州、海南、内蒙古等地主持多项大型室内装修工程及星级宾馆的室内设计与施工，并有多项室内设计作品获奖，有多幅美术作品参加省及全国美展并获奖。

水彩之一

水彩之二

水彩之三

靳　超

1959年出生。1984年本科毕业于吉林艺术学院油画系。1995年毕业于北京电影学院美术系获硕士学位，同年任教于北京建筑工程学院建筑学院至今，硕士生导师。长期从事绘画创作和美术教学以及相关科研工作。作品多次参加国内、国际展览，并有多篇论文发表。

经幡

深谷

铁索桥

陈静勇

教授，现任北京建筑工程学院设计学学科负责人，兼任中国建筑学会室内设计分会（CIID）副理事长。目前主要从事设计学、建筑学的教学和科研工作。

1995年获得“北京市优秀青年知识分子”称号；2005年获得“北京市教育创新标兵”称号；获得2004年北京市教育教学成果（高等教育）一等奖；2007年获得第三届北京市高等学校教学名师奖；2009年所负责的“建筑与环境模拟（设计）实验教学中心教学团队”成为北京市优秀教学团队；2009年被授予“首都劳动奖章”。

毛主席纪念堂建筑立面（局部）

孙　明

1960年生。

1983年毕业于南京工学院。

1993年毕业于莫斯科建筑学院，获博士学位。

现为北京建筑工程学院建筑学教授。

莫斯科建筑学院大学生

云冈石窟

杨　晓

副教授，中国美术家协会会员。

1973年12月生于山东青岛；

2003年，毕业于清华大学美术学院绘画系壁画工作室，获美术学硕士学位；

任教于北京建筑工程学院建筑与城市规划学院设计基础部；

美术作品入选第十一届全国美展，入选第七、第八、第九届全国水彩粉画展，获首届上海朱家角国际水彩双年展优秀奖；在国内外核心专业期刊发表学术论文10余篇，并有专著出版。

西藏日记之一

西藏日记之二

西藏日记之三

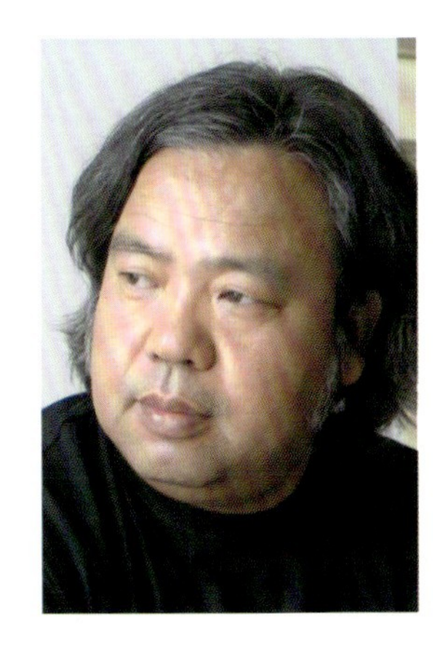

周宏智

1982年毕业于中央工艺美术学院，现任教于清华大学建筑学院。

主要著作：《建筑水彩表现技法》、《建筑素描》、《西方现代艺术史》等。

圣彼得大教堂

颐和园——夕阳画中游

雪后小景

王青春

清华大学建筑学院教师。

中国雕塑学会会员。

中国工艺美术协会雕塑委员会会员。

获全国城市雕塑委员会城市雕塑设计资格证。

清华大学美术学院雕塑系学士。

中央美术学院雕塑系硕士。

等待

琴韵

李　军

1984~1988年就读于上海大学美术学院附中。
1988~1992年就读于上海大学美术学院综合绘画系。
1992年至今任教于同济大学。
2002~2004年研修于上海油画雕塑院。
现为同济大学副教授，上海市美术家协会会员。
中国建筑学会建筑美术委员会委员。

幼儿园晨曦

刘秀兰

1987年毕业于中国景德镇陶瓷学院美术系雕塑专业，获学士学位。现为同济大学建筑与城市规划学院副教授，中国美术家协会会员，中国雕塑学会会员，中国陶协和中国工艺学会雕塑艺委会会员，中国工业协会陶瓷艺委会委员，上海市美术家协会会员，上海市中国陶瓷艺术家协会理事。

伴奏者

陆羽

王昌建

1962年生，1988年毕业于上海师范大学美术系油画专业，现为同济大学建筑与城市规划学院造型艺术基础教研室讲师。

2001年，作品《蕴》入选上海首届美术大展。

2003年，作品《岁月》入选上海首届青年美术大展。

2003年，作品《岁月》入编《上海艺术家》。

2003年，作品《延续的冲撞》入选上海首届青年美术大展。

2007年，作品《感受2000》入选“浦东印象”艺术邀请展。

2010年，作品《南屏小巷》入选“岁月如歌”艺术邀请展。

城市在增长

邬春生

现任教于同济大学建筑与城市规划学院，副教授。

1963年生，1989年毕业于华东师范大学艺术教育系美术专业，获文学学士学位。中国建筑学会建筑师分会建筑美术专业委员会委员兼秘书长，上海美术家协会水彩画工作委员会会员。

残荷

山河大地

陈学文

1959年生，1986年毕业于天津美术学院，现为天津大学建筑学院环境艺术系教授、研究生导师。长期致力于环境设计及艺术创作理论及实践研究，进行了大量科研活动，曾出版专著10余部，发表核心期刊论文20余篇，多次在全国性美术展览中获奖，现正从事环境艺术设计的传统与创新及艺术创作规律方面的研究。

遨游

嬉戏

鱼跃

郭　彬

1979年出生，籍贯山东无棣。2004年毕业于曲阜师范大学美术学院，获学士学位。2007年毕业于东南大学艺术学院，获硕士学位。研究方向为环境艺术设计，现为东南大学成贤学院建筑与艺术系讲师，从事室内环境艺术设计与景观设计专业的教学工作。

南屏印巷

于幸泽

1976年生于辽宁岫岩。

2000年毕业于鲁迅美术学院油画系，获学士学位。

2005年毕业于德国卡塞尔(Kassel)美术学院自由艺术系，获硕士学位。

2006年入选德国卡塞尔(Kassel)美术学院乔根·迈雅工作室。

2007年任教于中央美术学院建筑学院。

2010年就读中央美术学院博士研究生。

眩关系列：花朵里衍生的雄鹿

眩关系列：禁锢下的产物

何　崴

建筑师，资深媒体人，跨界艺术家。
中央美术学院建筑学院讲师。
《照明设计》杂志执行主编。
清华大学建筑学学士。
德国斯图加特大学建筑与城市规划硕士。

茧

熊新君

1976年生于湖北省广水市。

现任教于中央美术学院城市设计学院动画系 。

2001年毕业于清华大学美术学院金属艺术专业，获学士学位。

2006年毕业于北京大学软件与微电子学院数字艺术专业，获硕士学位。

“异景”系列之——永定门

“异景”系列之——北京胡同

王松引

哈尔滨工业大学建筑学院讲师、黑龙江美术家协会会员。1980年生于哈尔滨，2000年毕业于中央美术学院附中，2005年毕业于鲁迅美术学院雕塑系，获学士学位，2009年毕业于中央美术学院雕塑系，获硕士学位。

雕塑《大庆》荣获第十一届黑龙江省美术作品展优秀奖，新中国建国60年黑龙江发展成就大型美术书法摄影展优秀奖。雕塑《李昌校长》收藏于哈尔滨工业大学博物馆。论文《论写实雕塑的形体问题》入选《提高高等教育质量创新与实践——高教科研2009》论文集，并被黑龙江省高等教育学会评为2010年优秀教育科研论文二等奖。浮雕《父亲》荣获2011年第二届中国黑龙江万象国际木雕艺术节铜奖，并被黑龙江造型艺术产业园区黑龙江万象艺术交流中心收藏。2011年9月两幅水粉静物作品入选由中国建筑学会建筑师分会建筑美术专业委员会、全国高等学校建筑学学科专业指导委员会主办的第十一届全国高等院校建筑与环境艺术设计专业美术作品展，并入选《第十一届全国高等院校建筑与环境艺术设计专业教学研讨会教师作品集》。

大庆

阙阿静

2005年毕业于西安美术学院装饰艺术系，获硕士学位，现任职西安建筑科技大学建筑学院建筑美术教研室主任，长期从事建筑美术教育的研究和实践工作，作品和论文多次参加全国展览和刊登于学术期刊。

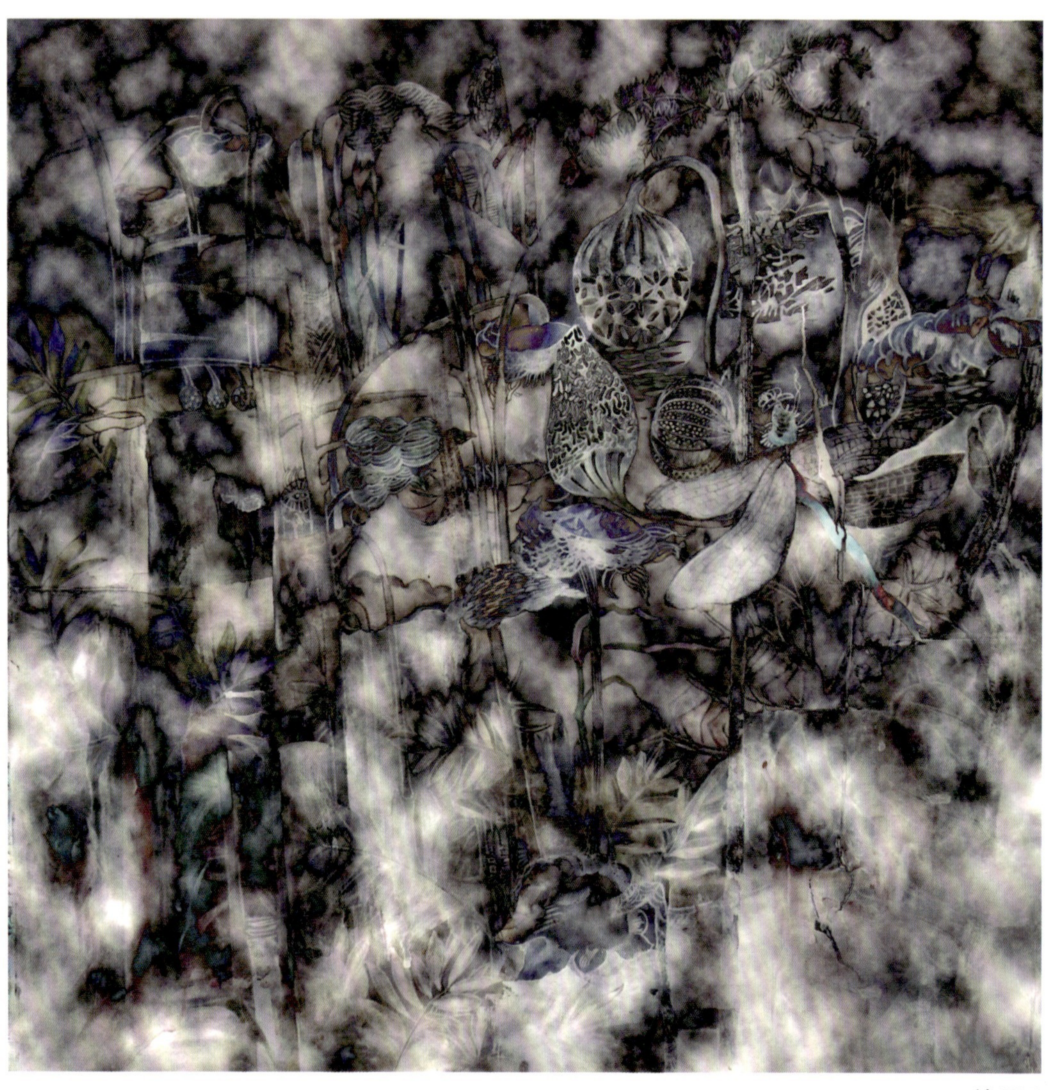

神秘园

曹 汛

1935年生于辽宁盖州，1961年毕业于清华大学建筑系。北京建筑工程学院教授。1984年获首批有突出贡献专家荣誉称号，享受国务院特殊津贴。退休后任北京大学文博考古学院客座教授，中国台湾树德科技大学建筑与古迹维护系特聘教授。

雪原冰河

金坑梯田

朱仁普

北京建筑工程学院建筑与城市规划学院教授。

荷塘之恋

荷之舞

陈铭忠

1938年生于山东阳谷，清华大学建筑系毕业。先后任职于原建设部建筑杂志社编辑，中信公司高级工程师，北京建筑工程学院建筑系教师。

合作编著《外国建筑百图》，主持影剧院、葡萄酒庄园等公共建筑设计，并做“维也纳音乐城”规划设计方案。

朱老师肖像

钟　铃

北京建筑工程学院副教授。
曾任北京水彩画学会会长、北京水彩画艺委会主任。
1992年作品《北京秋天》获法国尼斯国际造型艺术大展优秀作品奖。
1994年作品《雨景》获首届中国现代水彩画邀请展优秀奖。
1995年作品《船厂早晨》获首届中国青年水彩画大展学术奖。
1997年28幅作品在中国美术馆举办首届中国青年水彩画学术邀请展参展。
1997年作品《昨天、今天》、《午后凤凰》被中国美术馆收藏。
1997年作品《情满香江系列——东方之珠》参加中国艺术大展。
1997年出版画集《亚洲水彩画名家丛书——钟铃》。

甘南系列——夕

藏地系列之三

藏地系列之十一

谭述乐

1997年获中央美术学院硕士学位，2003年获中央美术学院博士学位，2003~2005年在北京师范大学艺术学院从事博士后研究。现为北京建筑工程学院艺术系教授、硕士生导师，北京市美术家协会会员。

数十年从事绘画创作与艺术理论、书画鉴定研究，擅长国画写意人物、花鸟，曾多次参加国内外大型艺术展并获奖。数十幅作品被我国台湾、香港地区，以及新加坡、日本、加拿大、美国等国的博物馆和私人藏家收藏。在国内外举办个人画展数次。

出版学术专著3部，在国内核心期刊发表学术论文数十篇。博士后出站报告《传统绘画的再认识》作为优秀博士论文收录在《中国优秀博士学位论文全文数据库》。

荷花

朱　军

北京建筑工程学院，副教授，研究生导师。

蚀

融

浸

方形中的方形

碎片

颛孙恩扬

艺术学博士，研究中国诗学、画论与中国画创作。

1974年生于安徽萧县。

2010年毕业于中国艺术研究院研究生院。

现任教于北京建筑工程学院建筑与城市规划学院设计基础部。

徽州清梦系列之一

雪域

李学兵

1975年5月生于山东省新泰市。

1998年9月~2002年7月就读于清华大学美术学院雕塑系。

2004年9月~2007年7月于中央美术学院雕塑系攻读硕士研究生。

2007年7月至今任教于北京建筑工程学院。

中国雕塑学会会员。

春

唐韵

行

赵希岗

生于山东省青岛市，中国民主同盟盟员。

任教于北京建筑工程学院设计艺术系副教授，中国矿业大学客座教授。

中华文化促进会剪纸艺委会副秘书长、中国书画研究院委员、 中国美术家协会北京协会会员、中国出版家协会会员。

1985~1989年就读于中央工艺美术学院装潢艺术系，获学士学位。

2000~2003年就读于清华大学美术学院，获硕士学位。

舞猴

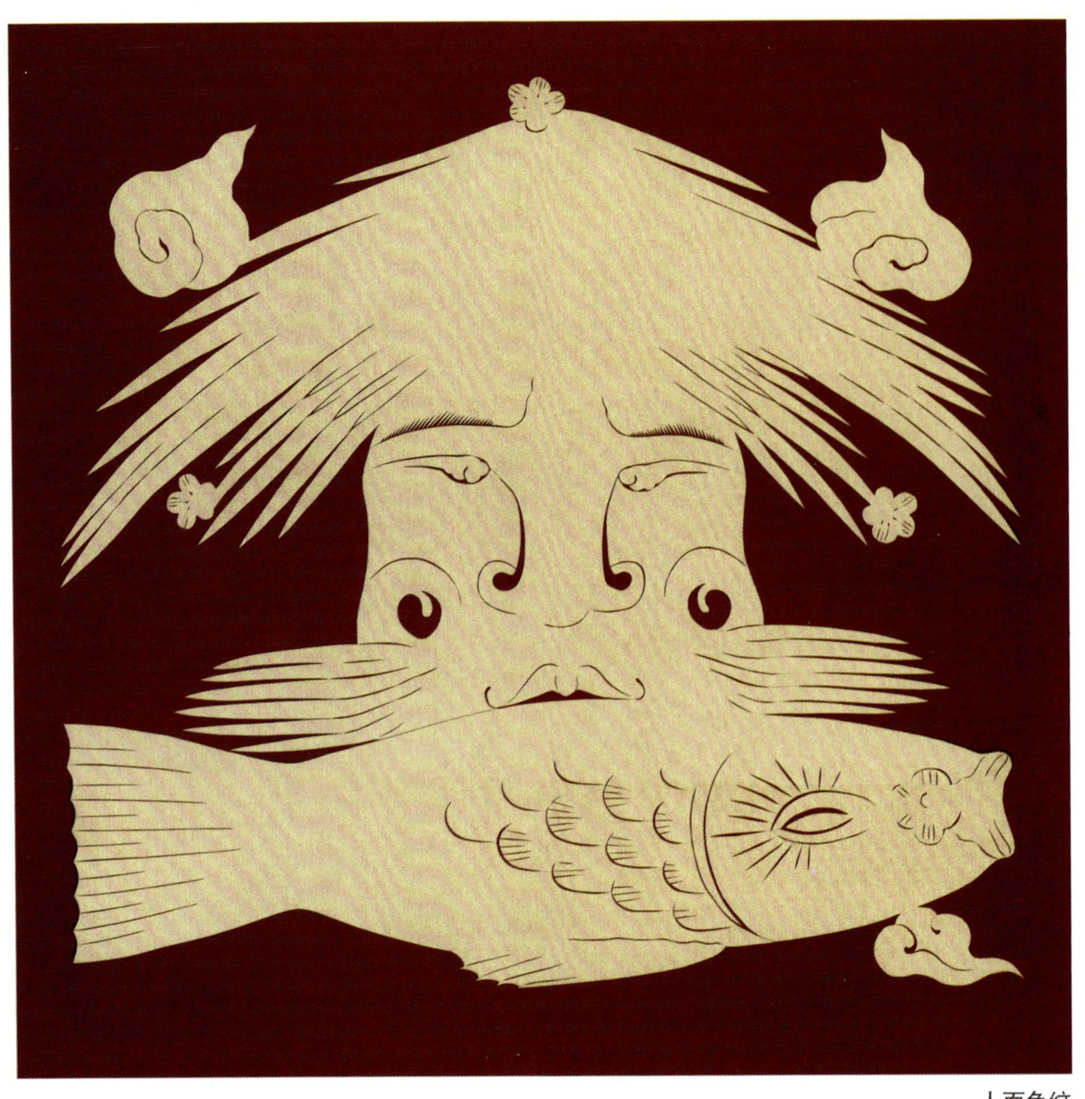

人面鱼纹

月夜猿啼

李振宁

1983生于广西壮族自治区南宁市。

2003~2007年就读于清华大学美术学院工艺美术玻璃艺术专业。

2007~2010年保送攻读清华大学美术学院工艺美术玻璃艺术专业研究生，获硕士学位。

2010至今任北京建筑工程学院实验员。

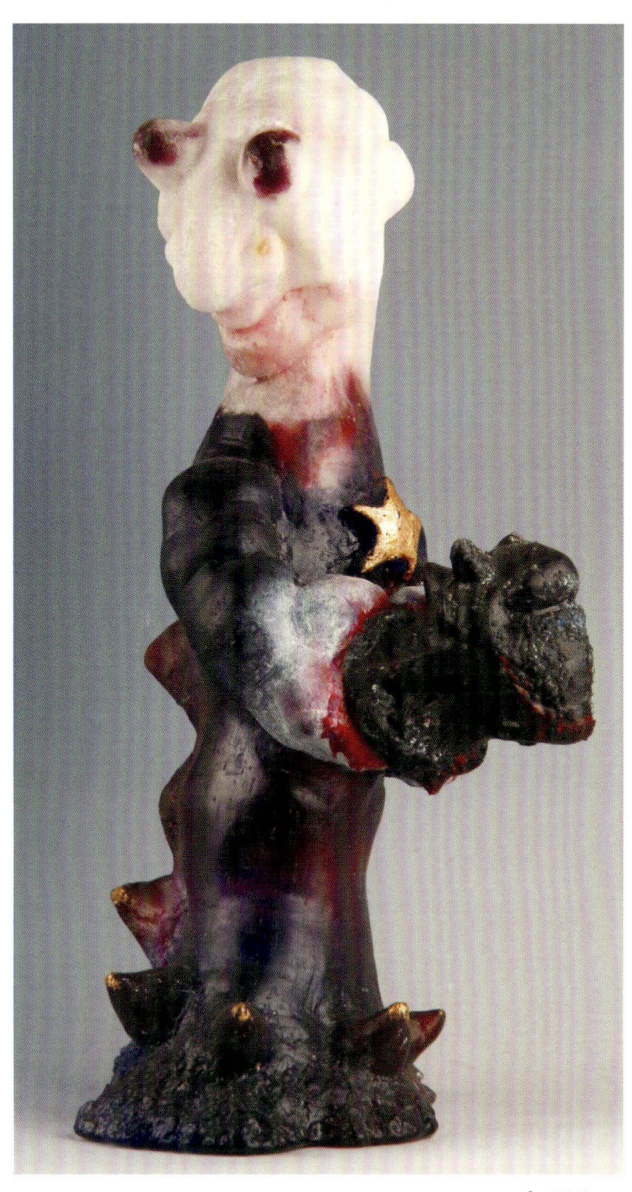

人系列 12

人系列 17

人系列 20

人系列 21

孙克真

任教于北京建筑工程学院建筑与城市规划学院建筑系。

1956年出生。硕士，副教授。国家一级注册建筑师。多年从事建筑设计初步，建筑画表现技法，建筑设计等课程教学和参与建筑规划设计并绘制效果图。1991年以来曾有多幅建筑画作品入选全国建筑画展、全国建筑画大赛、全国高校建筑学专业美术设计教师作品展、北京建筑画大赛、中国建筑画选——北京建筑工程学院建筑画等展览竞赛作品集；1992年获北京建筑画大赛银奖；2007年获全国手绘建筑画优秀奖。

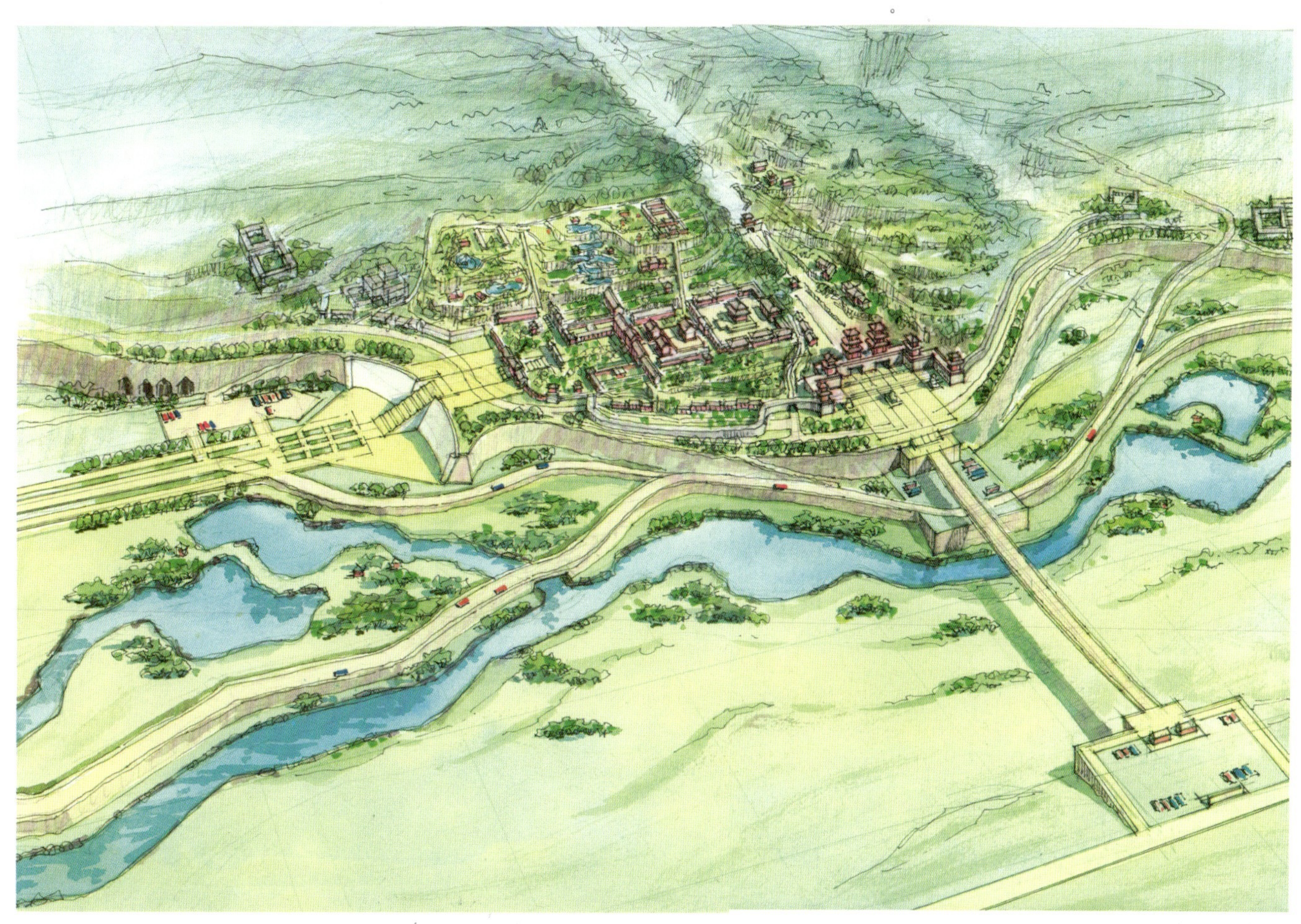

河南函谷关古文化景区鸟瞰图

陆 翔

1958年6月生于北京。自幼喜欢绘画，中学时代师从陈祖煌先生学习绘画。1980年考入北京建筑工程学院建筑系，得到过绘画大师华宜玉先生、李天祥先生的悉心指教，毕业后留校任教，在建筑类刊物发表过多项美术作品。现任北京建筑工程学院建筑与城市规划学院史论部主任、副教授、硕士生导师。兼任民盟北京市委文化委员会副主任、民盟北京市西城区委副主委、政协北京市西城区委常委。

燕赵初雪图

秋实

蒋　方

出生于1965年，现任教于北京建筑工程学院建筑与城市规划学院。作品曾入选中国水彩画写生精品大展、第9届北京・汉城・香港国际水彩画展、第12届汉城・北京水彩画展及ASIA水彩画大展等。

高原之歌

郭子龙

1977年4月出生，中国工艺美术学会会员，2002年毕业于清华大学美术学院金属艺术设计专业，现为北京工业大学艺术设计学院讲师。

2000年参加国际“科学与艺术”作品展。

2004年参加上海首届全国工艺美术展。

2004年参加全国第三届城市雕塑展。

2004年参加北京美术家协会“蓝色空间”艺术雕塑展。

2005年参加绿色奥运——中国公民环保创意大赛并获一等奖。

2006年参加北京国际工艺美术展。

2006年参加第二届全国工艺美术展。

2007年参加中国工艺美术协会艺术家联展。

2009年参加中日友好艺术展。

2011年参加中华世纪坛2011国际金属艺术展。

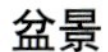

盆景

赵健磊

1975年5月出生于山东青岛。

1997年毕业于山东工艺美术学院，获学士学位；2003年毕业于清华大学美术学院雕塑系，获硕士学位。

现为北京工业大学建筑与城市规划学院工业设计系讲师。

中国民间文艺家协会彩塑专业委员会副秘书长。

中国工艺美术学会雕塑艺委会会员。

中国工艺美术学会民间艺术委员会会员。

徐州名人雕塑园作品之一

河南省周口市老子文化广场雕塑

罗　平

生于北京。

1993~1997年就读于中央工艺美术学院装饰绘画系，获学士学位。

1999~2002年就读于清华大学美术学院装饰艺术设计系，获硕士学位。

2002年至今，任教于北京理工大学设计与艺术学院。

星之坠落

山之二

雪原与海子

姜　喆

2000年毕业于清华大学美术学院绘画系装饰绘画专业，获学士学位。
2003年毕业于清华大学美术学院绘画系壁画专业，获硕士学位。
2003年至今任教于北京林业大学园林学院美术教研室，讲师。
2007年作品《朱夏》获黎昌第五届青年中国画年展二等奖。
2008年作品《梦见》入选第七届全国工笔画大展。
2009年作品《凝固的风景》入选微观与精致——第二届全国工笔重彩小幅作品艺术展。
2010年至今，参与教育部青年学者科研项目——日本南画研究。
2011年参加鄂尔多斯大剧院《辉煌礼赞》主题绘画创作，8幅作品被收藏。

听

徐桂香

1976年生于河北任丘。2003年毕业于天津南开大学东方文化艺术系中国画专业并获硕士学位，师从陈玉圃先生。现为北京美术家协会会员，北京工笔画会会员，任教于北京林业大学园林学院。

2008年，作品《重雪深苑》入选全国第七届工笔画大展；2009年，作品《雪苑》在微观与精致——第二届全国工笔重彩小幅作品艺术展中获丹青奖（唯一奖项）；2009年7月，参加“墨、彩、形”当代艺术作品展；2010年8月参加写生雁山——桂林山水艺术联展。

何苑静雪

林园（组画）

王 鹏

1981年生，河北秦皇岛人。

毕业于南开大学东方艺术系，获硕士学位。

北京师范大学艺术与传媒学院美术与设计系教师。

中国美术家协会会员、北京美术家协会会员 。

作品参加中国美术家协会等机构组织的第十一届全国美展、北京国际美术双年展、 中国美术世界行、首届中国现代工笔画大展等展览20余次。

出版专著《北京师范大学艺术与传媒学院教师作品集——王鹏》、《张大千绘画鉴赏》、《中国绘画流派识别图鉴》。

在《美术》、《美术观察》、《美术界》、《文化艺术研究》等刊物发表作品、学术论文20余次。

2011年主持教育部社科基金青年项目“新中国工笔画中女性形象研究1949—2010”。

参加或主持北京市教委、北京师范大学的教学科研项目5次。

花衫系列——天下无双

平江路的座

陈　健

1974年出生。

2005年毕业于德国国立卡塞尔艺术学院自由艺术系，获硕士学位。

现于大连理工大学建筑与艺术学院任教。

威尼奇亚No.3

庆生

申大鹏

1983年生于大连。

2009年至今，任教于大连理工大学建筑与艺术学院，讲师。

2005年参加天津美术学院马利油画展并获一等奖。

2006年参加首届全国美术学院师生作品展。

2006年参加“超验的中国”当代艺术展。

2007年参加北京798艺术节主题展“抽离中心的一代”。

2009年举办“少年物语”个人画展

2010年参加“艺术北京”国际画廊博览会，作品入选艺术突破单元。

2010年参加寓言的风景——闫珩、申大鹏香港双个展。

2011年作品参加“旋转木马”第三届中国新锐绘画奖展览。

夜眼

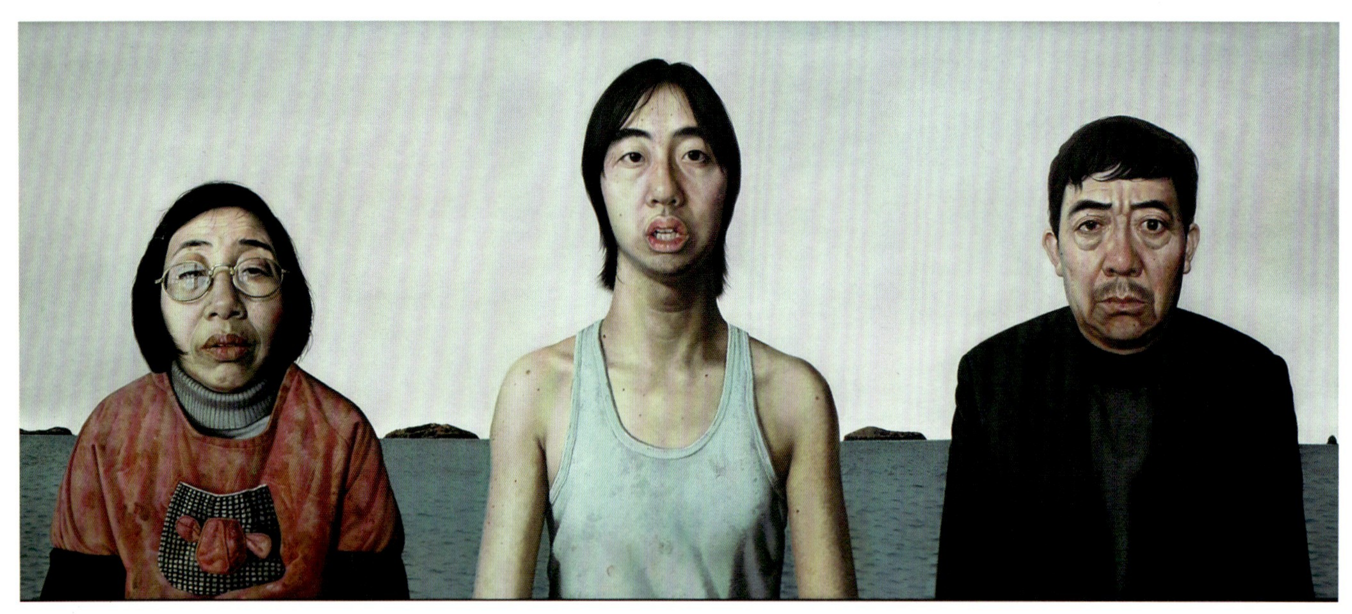

岛

苹果

温　洋

大连理工大学建筑与艺术学院艺术系副主任、副教授，辽宁美术家协会雕塑艺术委员会委员，中国雕塑学会会员，中国雕塑专业委员会会员。毕业于鲁迅美术学院雕塑系，后获建筑学硕士学位。主要研究方向为城市雕塑与公共艺术创作设计及其理论。主要作品有西藏和平解放纪念碑雕塑，安徽凤阳大包干纪念雕塑，重庆杨闇公烈士陵园雕塑，中国奥运第一人刘长春纪念雕塑等。主要著作有《公共雕塑》、《建筑风景钢笔手绘表现技法》等。

十八颗红手印

中国奥运第一人——刘长春纪念雕塑

叶洪图

1974年9月出生。大连理工大学建筑与艺术学院教师。2003年毕业于东北师范大学美术学院。从事当代艺术创作。主要参加展览有第四届广州三年展，2010北京798艺术节主题展“没你事儿”——张滨+叶洪图艺术教育小组个展，2011“游戏”——中国青年艺术家展，2011大连中山美术馆个展，2006年广东美术馆“从极地到铁西区”——东北当代艺术展（1985~2006），“美苑杯”全国师范作品展（三等奖）等。

救生衣

张　滨

副教授，1997毕业于鲁迅美术学院，现任教于大连理工大学。

2005年参加“从极地到铁西区”东北当代艺术展（1985~2006）。

2010年参加东北四城市青年艺术家提名展。

2010年参加798艺术节青年艺术家推荐展——“塑造未来 ”——当代艺术成为全民教育的乌托邦（798艺术中心）。

2010年参加“没你事儿”——张滨+叶洪图艺术教育小组个展（798视空间）

2011年参加“游戏”——中国青年艺术家(798白盒子艺术馆）

2011 年参加“行动的逻辑”——张滨 + 叶洪图艺术教育小组个展 。

2011年参加“去2012”——张滨+叶洪图艺术教育小组个展。

2012年参加“去魅中国想象”——第四届广州三年展。

新城

斜阳

玫瑰！玫瑰！

冯信群

东华大学艺术设计学院教授，环境艺术设计系主任。
中国建筑学会建筑美术专业委员会委员。
教育部全国艺术硕士美术与设计教育指导委员会委员。
上海市环境艺术专业委员会副主任委员。
上海水彩画家协会理事。
SSDF中韩日设计论坛委员会副会长。
澳大利亚水彩画协会荣誉会员。
亚洲基础造型学会会员。
日本现代美术协会正会员。

高台民居

红滩

逄　峰

1969年生于杭州。

1989年就读于上海大学美术学院雕塑系。

1993年毕业，同年任教于东华大学（原中国纺织大学）艺术设计学院至今。

过客

会和

五分钟

赵　强

毕业于中央工艺美术学院（现清华大学美术学院）陶瓷艺术系，硕士，副教授。曾举办多次大型个人作品展及参加多次国内外重要联展、学术邀请展。其陶艺和艺术创作经历被国内外知名学术刊物及多家媒体介绍教研室，并受聘担任多家大学特聘教授，2010年受邀赴欧洲讲学并参展。现任东华大学环境艺术系公共艺术主任。

春系列之一

春系列之二

春系列组合

陈方达

福州大学建筑学院副教授，美术系主任，硕士生导师。1989年毕业于华东师范大学艺术教育系油画专业。作品多次参加全国各类美术作品展览。有多件作品在《中国水彩》等学术刊物上发表，大量作品被编入《经典建筑手绘表现》、《建筑速写》等书籍。主编全国高等院校“十一五”规划精品教材《平面构成》、《立体构成》。

硕果

故园系列之三

伍　悦

现就职于福州大学建筑学院，毕业于江西景德镇陶瓷学院雕塑专业，毕业后分配在福州大学从事美术基础教学工作，除正常教学工作外，以参与社会实践为主导，主要从事城市景观设计与施工。主持和参与了较多的城市雕塑的设计与制作。2005年后，就工作重心进行了较大的调整，由社会实践转为论文发表和艺术作品受邀参展。

2008年应邀参加中国西部陶艺作品大展。（作品：《妞妞》）

2008年秋应邀参加当代陶艺家邀请展。（作品：《节奏》）

2010年秋参加福州市文联举办的雕塑艺术委员会雕塑作品展，并被推选为艺委会副会长。

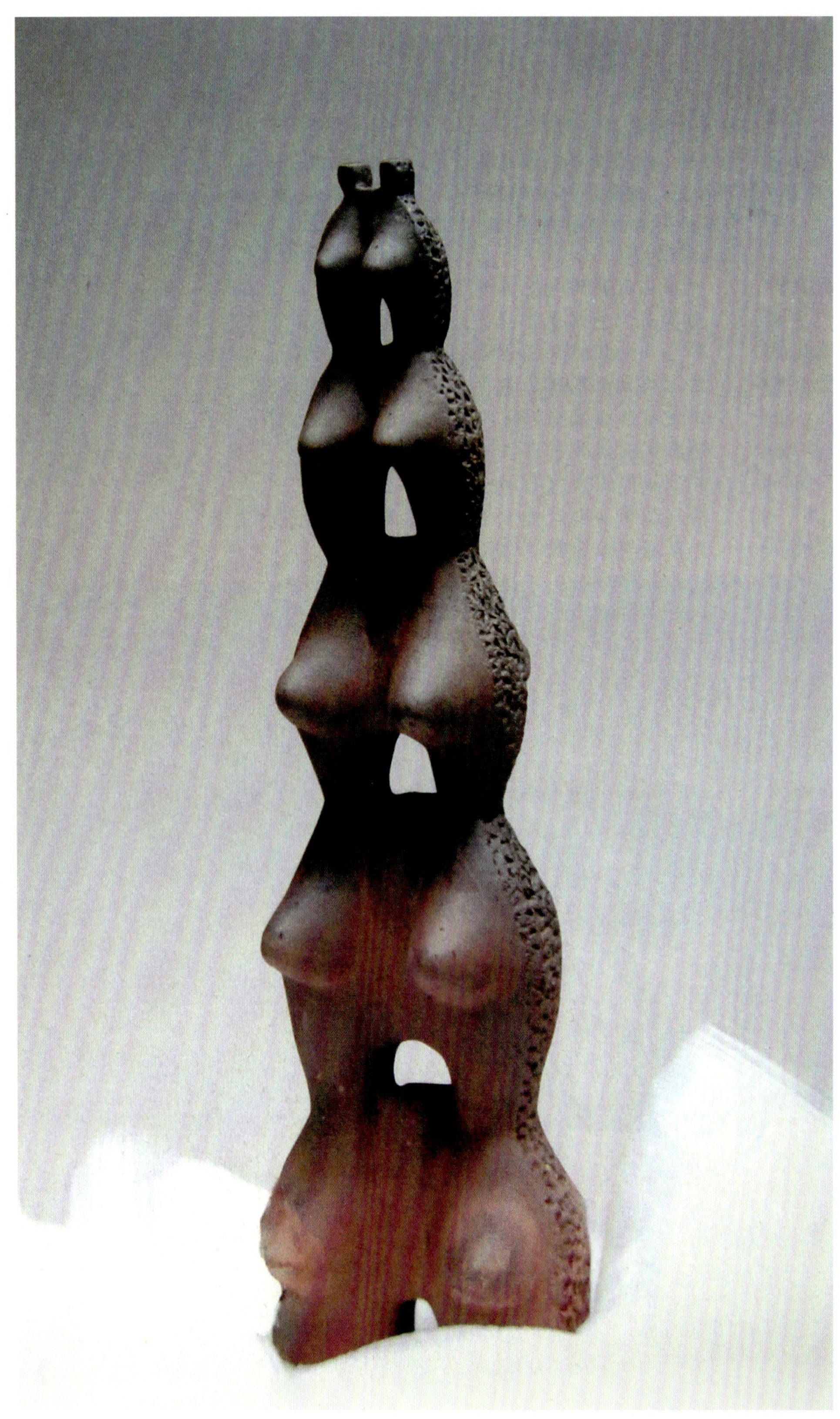

节奏

刘成章

2006年9月~2009年7月于中央美术学院雕塑系攻读硕士研究生。

1997年9月~2001年7月毕业于山东艺术学院雕塑系获学士学位。

2009年8月至今任合肥工业大学建筑与艺术学院教师。

获2010年第二届中国高校美术作品年展二等奖。

2009年参加上海世博会世博园景观雕塑设计。

2008年参加上海双年展——张江公共艺术大赛，获一等奖。

2008年参加杭州“贡多拉”征集大赛获创意奖。

2008年参与江西宜春公共艺术项目获一等奖。

梦幻

关　鹰

黑龙江人，1999年毕业于天津美术学院油画系，现就职于河北工业大学建筑与艺术设计学院。

2011年参加天津市“红色–魅力”美术作品展。

2010年参加天津市第三届油画作品双年展。

2009年参加第十五届“群星奖”天津市美术作品展。

2008年参加天津油画、水彩人物画邀请展。

2004年参加天津美术作品展。

2003年参加“携手新世纪”——天津油画作品展。

2002年参加“新蜕变”——2002年天津油画家提名展。

回忆

孟东生

河北工业大学建筑与艺术设计学院副教授、硕士生导师、建筑与艺术设计学院基础部主任，天津美协水彩艺委会理事，中国建筑师协会建筑美术专业委员会委员。

长期从事建筑美术、艺术设计美术基础及环境艺术设计的教学及研究工作，尤其对建筑水彩画和人物油画有较深研究，曾多次参加天津及全国美术作品展览，并有作品被国际奥委会收藏。油画、水彩作品曾在专业杂志及报刊发表。主编有《色彩》、《建筑表现技法》等高校教材，并有多篇教学论文在学术会议及论文集发表。

扎西和他的母亲

西递的早晨

雨后上里

孙立伟

1978年出生，河北省昌黎县人。2003年毕业于河北师范大学美术学院油画专业，获学士学位；2009年毕业于南京师范大学美术学院油画专业，获硕士学位。2009年就职于河北工业大学建筑与艺术设计学院基础美术部。

古镇迷雾

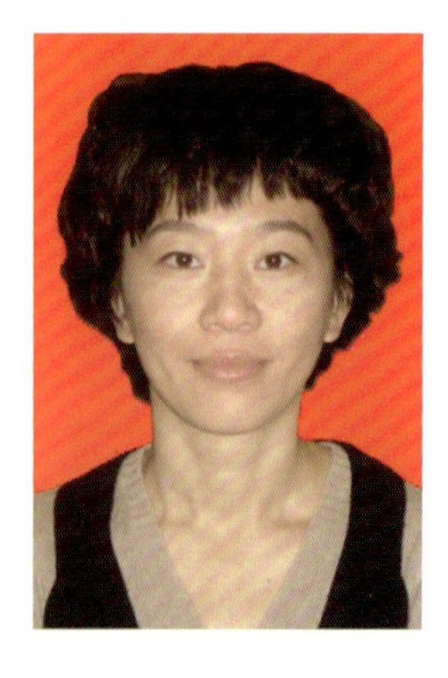

王淑兰

1977年出生，2005年毕业于河北师范大学美术学院国画工笔人物专业，硕士研究生学历，毕业至今就职于河北工业大学建筑与艺术设计学院美术基础部。

朦朦雾雨

周　峰

生于1977年，2001年毕业于景德镇陶瓷学院雕塑系，现为河北工业大学建筑与艺术设计学院讲师。

上里风光之一

陈清海

湖南大学建筑学院副教授。

泊

渔村

阮国新

湖南安化人，1988年毕业于湖南师范大学美术系，2008年结业于中国艺术研究院，现为湖南大学环境艺术系主任、湖南省当代油画院常务副院长、中国美术家协会会员。

试验水墨3

试验水墨10

沈　力

2001年7月《1927年4月23日》入选庆祝中国共产党建党80周年美术作品展

2002年5月《人行道》入选纪念毛泽东同志《在延安文艺座谈会上的讲话》发表60周年全国美展。

2002年12月《匆匆行人》入选中国油画上海美术作品展。

2003年5月《城市的阳光》入选上海青年美术展。

2004年9月《城市的阳光》入选上海高校青年教师美术展。

2005年6月《人行道》入选上海美术大展。

2006年6月《天上有白云》等作品参加“具象上海2006——聚焦70”画展。

2007年3~8月《湖州晚报》、《中国劳动报》系统介绍沈力油画作品。

2009年5月 参加荷兰中西融合油画展览并应邀参加文化交流。

2010年12月《扇扇也好》等作品参加上海徐汇艺术馆中青年艺术家展览。

2011年3月15~17日上海ICS外语频道播放介绍沈力油画艺术专题片。

城市的阳光

白日

隋 洁

吉林省集安市人，现任教于上海大学数码艺术学院，上海市美术家协会会员。

1997年9月~2001年7月就读于北华大学艺术学院获学士学位。

2003年9月~2006年7月就读于上海大学美术学院获硕士学位。

2009年作品入选上海青年美术大展，获沈柔坚艺术奖。

2008年作品入选奥林匹克美术大会·数码艺术大展，获优秀奖。

2004年作品入选第十届全国美术作品展（上海）和上海高校青年教师美术作品展。

2003年作品入选全国第十七次新人新作展和浙江省第三届青年美术作品展。

MY ZOO II

王冠英

1964年生于吉林市，上海大学美术学院副教授，硕士生导师，中国美协会员。作品多次参加国内外展览并在各种刊物上发表，多幅作品被机构和个人收藏。

2004年被美国弗蒙特艺术中心评为2004~2005年中国年度杰出艺术家，被邀请赴美创作考察。

朋友之二

朋友之三

徐龙宝

生于上海。上海大学美术学院建筑系教授、硕士生导师，中国美术家协会会员、上海美术家协会版画艺委会副主任、版画工委副主任，曾获鲁迅版画奖、全国美展金、银奖，作品被中国美术馆等国内外机构收藏。

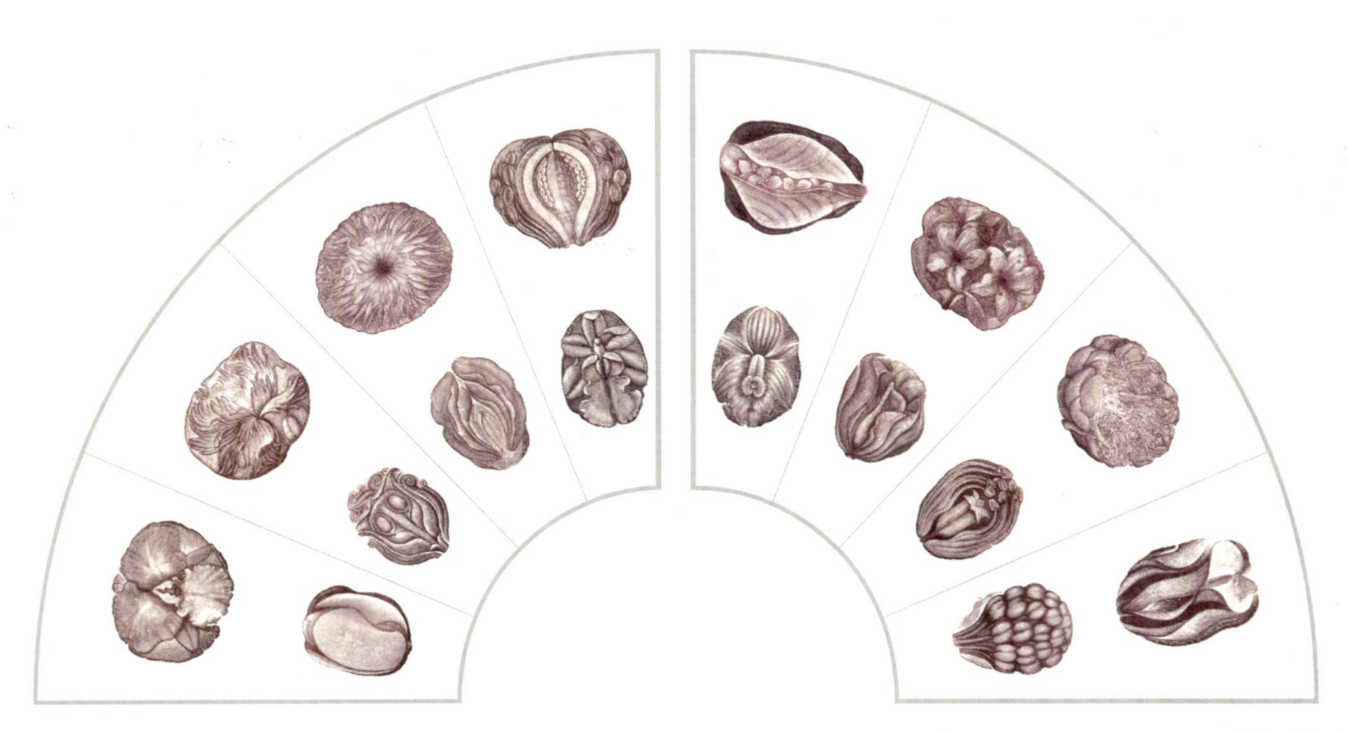

2010花蕊系列2

许 宁

1980年生于上海。

1998~2002年就读于上海大学美术学院油画系。

2003~2006年就读于上海大学美术学院架上绘画专业研究生。

2006年至今任教于上海大学美术学院建筑系，讲师。

构系列之二

温庆武

1963年生，1988年毕业于湖北美术学院美术系，获学士学位，2004年毕业于武汉大学，获硕士学位。现为武汉大学城市设计学院设计系副系主任、副教授、硕士生导师，湖北美术家协会会员，中国建筑学会会员，中国建筑学会建筑美术专业委员会委员。主要从事设计基础教学、中国传统设计艺术研究及公共艺术设计研究。

山外山系列之三

周秀梅

1966年生，1988年毕业于湖北美术学院美术系，获学士学位，2000年湖北美术学院美术教育专业研究生毕业，2008年武汉大学城市设计学院博士在读。现为武汉大学城市设计学院设计系副教授、硕士生导师，湖北美术家协会会员，湖北版画家协会会员。主要从事造型基础教学、书籍装帧、插画设计及公共艺术设计与理论研究。

夏日荷塘

莲蓬与花

储若男

2004年9月~2008年6月，就读于西安美术学院版画系版画专业，本科学历。

2008年9月~2011年6月，就读于东南大学建筑学院环境艺术设计，硕士研究生学历。

2011年7月至今，任西安工业大学艺术与传媒学院教师。

关中雪

洪　毅

1955年出生。

1982年毕业于河北师范大学，获学士学位。

1996年毕业于中央美术学院壁画系教师研究生班。现为四川成都西南交通大学艺术与传播学院美术系教授、系主任，四川美术家协会理事，中国建筑师协会会员。

1997年在中国美术馆举办三人油画展。

2000年在维也纳举办个人画展。

2009年10月在德国法兰克福大学举办个人画展。

2009年11月在西南交通大学美术馆举办个人画展。

多次参加全国高校建筑美术教师展、省级展，作品和论文曾收录于《美术研究》等专业刊物。

西藏表情

皇家园林

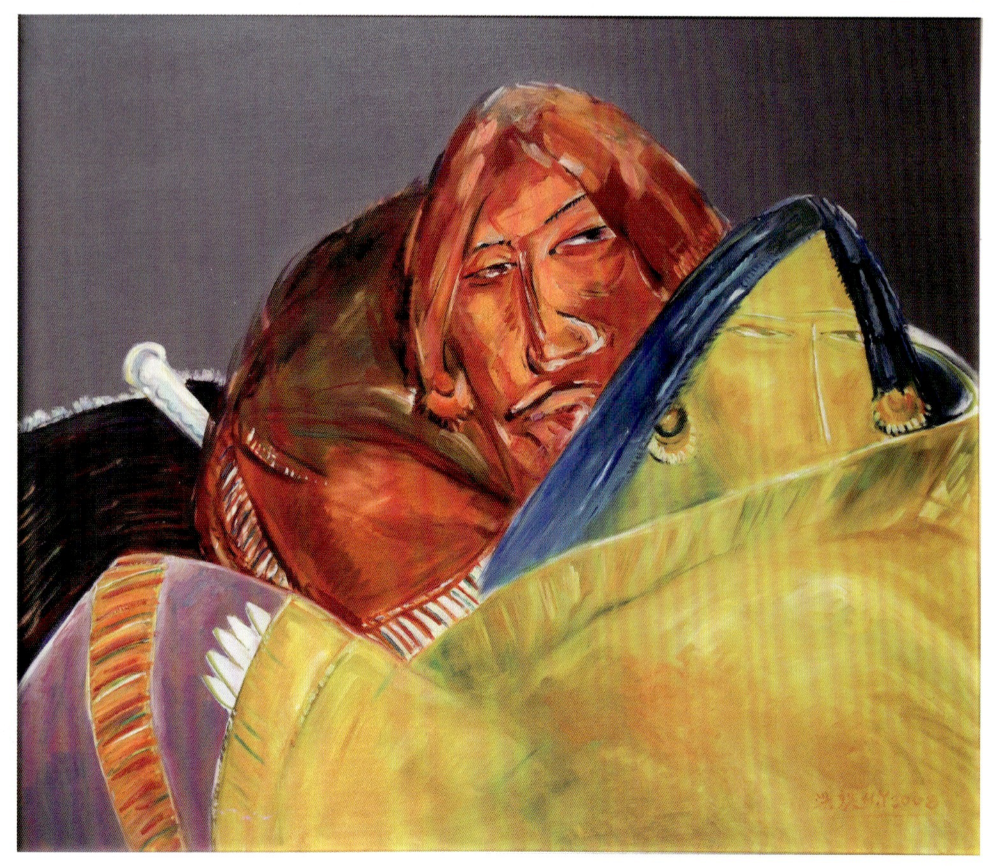

西藏情侣

黄 涛

毕业于德国亚琛应用科技大学，任教于四川省成都西南交通大学艺术与传播学院，教授、硕士生导师。多次参加国内外各类型的展览，在《美术研究》等专业杂志发表论文和作品。在德国数次举办个人展览，出版个人作品集一部。

解读——Pinakothek 博物馆

解读——犹太纪念馆

耿　强

1960年生，1986年毕业于河南大学美术系油画专业，现任职郑州大学建筑学院，副教授。作品多次参加省及全国展览并获奖。

冬山记忆

山水

石　秀

1977年考入河南大学美术系油画专业，现任职于郑州大学建筑学院，副教授。中国建筑师协会会员，中国建筑学会美术教育委员会委员,河南省美术家协会会员，河南省书画院特聘画家。

劫难

伤逝

天象

姚小伟

1962年生于河南省巩义市。

1986年毕业于河南大学美术系油画专业。

郑州大学建筑学院环境艺术系副教授。

中国建筑学会建筑美术专业委员会委员。

河南省美术家协会会员。

故园

艾永生

毕业于上海戏剧学院舞台美术系。

现任教于安徽建筑工业学院艺术学院，展示部主任，副教授、中国舞台美术家协会会员。

1989年，作品《初春》参加第七届全国美术作品展。

1998年，作品《花与梨》参加第四届全国水彩粉画展。

2002年，作品《五月风》参加纪念毛泽东同志《在延安文艺座谈会上的讲话》发表60周年全国美展。

2003年，作品《斜阳》参加全国首届小幅水彩画展。

2011年，作品《人体》参加全国第二届小幅水彩画展。

老房子

水乡

汪炳璋

1952年出生，安徽颍上人。
中国美术家协会会员。
安徽建筑工业学院艺术学院院长、教授。
安徽省版画艺术委员会副主任。

秋高

描红

杨先行

1957年生，安徽无为人。

1986年毕业于安徽师范大学美术系。

1991年结业于中央美术学院油画研修班。

安徽建筑工业学院艺术学院美术教研室主任、副教授。

中国油画学会会员。

安徽省油画学会理事。

白云・船・渔家女

惠安女之二

惠安女之三

张 乐

1981年生，安徽合肥人。

毕业于安徽师范大学美术学院油画系。

安徽建筑工业学院艺术学院美术教研室副主任。

中国油画学会会员。

安徽美术家协会会员。

安徽省油画学会会员。

仲夏・思

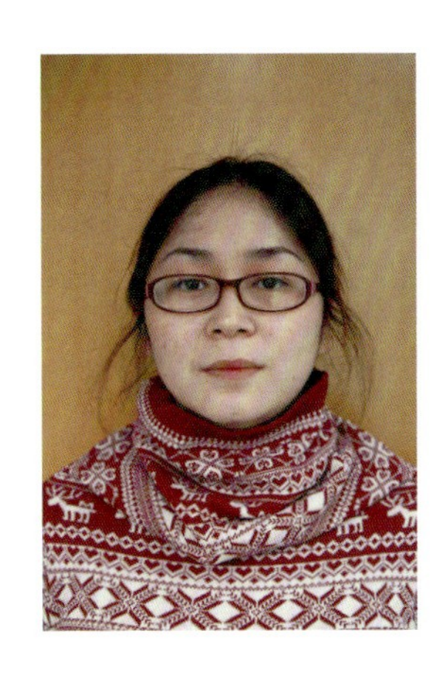

王　丽

2000年毕业于阜阳师范学院美术专业，现为安徽理工大学土木建筑学院环艺老师、淮南书画协会会员。

当代山水图系列1

当代山水图系列2

乔　迁

1968年生于江苏省徐州市，中国民主建国会会员，毕业于清华大学美术学院，博士，北方工业大学艺术学院副教授，清华大学吴冠中艺术中心研究员，全国城雕艺术委员会委员，中国工艺美术学会雕塑专业委员会副秘书长，青铜文化专家。

曾参与香港回归主题雕塑《永远盛开的紫荆花》、中华世纪坛主题雕塑《中华千秋颂》的创作。

作品先后入选国际科学与艺术展、第二届北京国际美术双年展、中国—比利时雕塑作品展、中韩雕塑家作品展、中国艺术赴美精品展等几十次国内外艺术展。

曾举办乡村的记忆——乔迁雕塑作品展等多次个人展。

在国内各主要艺术刊物公开发表论文20余篇、作品数十幅。

出版专著《艺术与生命精神》、《非常30——中国古代经典雕塑》。

曾任《雕塑》杂志“理论研究”栏目主持人、《中国雕塑年鉴》副主编。

作品广泛被国内外文化机构和个人收藏，并于多家权威拍卖公司成交。

化蝶

荡漾

卵

齐学君

1987年毕业于河北师范大学艺术系油画专业。
2006年完成中央美术学院建筑学院访问学者学业。
现为北京电子科技职业学院艺术设计学院副教授。
美术作品多次参加省市级美术展览或被收录出版或被博物馆收藏。

雨后小布达拉宫

徐　彬

1996年7月毕业于四川美术学院装饰设计系室内装饰设计专业。

1996年7月~2001年7月任教于四川大学艺术学院环境艺术系。

1998年9月~1999年2月赴中央美术学院设计学院环艺助教研修班学习。

1999年3月~1999年7月赴中央工艺美术学院（现清华大学美术学院）环境艺术系室内设计专业进修班学习。

2003年3月参加北京市教委组织的新加坡教育考察。

2003年5月参加北京市教委组织的欧洲职业教育考察和培训。

2007年3月获得中国高级玩具设计师职业资格。

2008年7月参加教育部高等学校青年骨干教师高级研修班学习。

2011年毕业于中央美术学院建筑学院，获艺术硕士学位。

2001年7月至今任教于北京电子科技职业学院艺术设计学院装饰艺术系，现为副教授。

印

蓖的组合

李玉仓

1976年生，籍贯山东。

1997~2001年就读于山东工艺美术学院。

2001~2003年就职于济南龙山黑陶艺术研究所。

2003~2006年就读于北京服装学院攻读艺术学硕士学位。

2006年至今任教于北京农学院园林学院。

天姿

舞

张少杰

北京物资学院副教授。

梯田

黄土地之雪

遥远的村庄

李　洁

毕业于湖南师范大学美术学院，现为长沙理工大学土建学院副教授，湖南美术家协会会员、湖南水彩画协会会员、中国流行色协会会员、中国流行色协会教育委员会委员。多年从事高校美术教学工作，擅长水彩画，水彩作品常参加省级和全国美术作品展览。美术作品和教研论文发表于《文艺研究》、《中国水彩》、《美术大观》、《美术界》、《湖南师范大学学报》、《中国美术》等刊物；主编《美术欣赏》、《现代平面构成》等教材。

桌面

岁月

林　曦

1971年生于福建福州，1993年福建师范大学美术学专业毕业，现为福建工程学院建筑与规划系副教授，主要从事建筑美术和建筑美学教学及研究工作。

老厨房系列之一

杨雪峰

1976年生于河北遵化。
2000年毕业于河北师范大学，获学士学位。
2003~2004年在中央美术学院人文学院学习。
2007年考取首都师范大学美术学院油画专业研究生，获艺术学硕士学位。
2000年至今任职于河北科技师范学院艺术学院。
河北省美术家协会会员、河北省水彩研究会会员。

通向远方的路

心的家园之一

心的家园之三

蔡雪辉

江西宜丰人。

1995年结业于石家庄正定育青工艺美术学校。

2000年毕业于西安美术学院油画系第三工作室，学士学位。

2011年毕业于江南大学设计学院，获硕士学位。

2000年起执教于河南工业大学土木建筑学院建筑系，从事水彩教学工作。

2010年为北京市文物局《北京文物建筑大系——园林卷》拍摄图片。

2011年入展河南省第九届水彩水粉画展。

信阳乡间

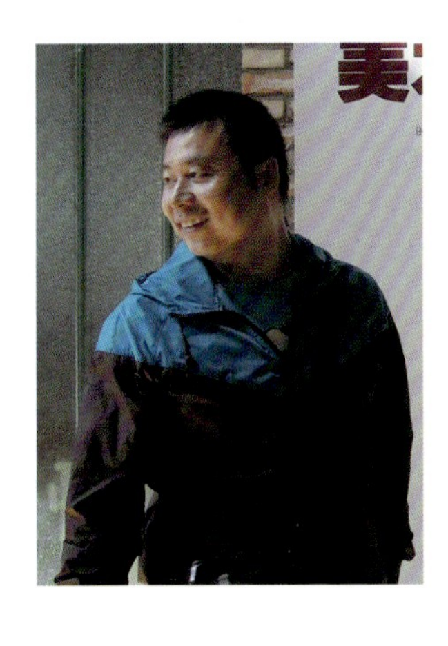

黄向前

1974年生于洛阳。

2009年毕业于中国美术学院油画系第四工作室，获硕士学位。

2002年结业于中央美术学院壁画系研修班。

1998年毕业于河南大学艺术学院，获学士学位。

现为河南工业大学教师。

山色空蒙

李　楠

2004年7月毕业于华中师范大学美术学院。

2004年8月任教于河南理工大学建筑与艺术设计学院建筑学系。

2010年攻读首都师范大学美术学院艺术硕士。

2011年参加首都师范大学袁广艺术工作室“殊・相・渡”油画展。

2011年参加首都师范大学—美国布法罗大学作品交流展。

拍–空间

马 更

1976年生于郑州，副教授 。1998年河南大学艺术学院毕业，获学士学位。2008年河南大学艺术学院美术学研究生毕业，获硕士学位，现任华北水利水电学院建筑学院副教授、河南省美术家协会会员、河南省青年美术家协会会员。

大风景

豫西风景

郭　鑫

黑龙江人，1980年生。北京工笔重彩画协会会员，厦门陶艺家协会会员。2002年毕业于齐齐哈尔大学美术教育系，获学士学位。2007年毕业于福建师范大学美术学院，获硕士学位，2006年考入中国艺术研究院蒋采苹工作室研究生课程班学习，2002年至今任教于华侨大学建筑学院美术教研室。

主要担任与建筑美术相关的教学工作，包括基本绘画技法、摄影、陶艺等课程，同时专注工笔重彩画的创作，作品根植福建本土，具有浓郁的地域风情和人文特色。

花嫁之二

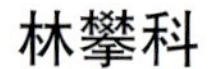

林攀科

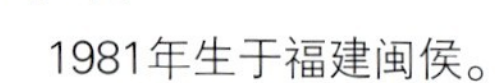

1981年生于福建闽侯。

2006年厦门大学艺术学院毕业，获硕士学位。

现任华侨大学建筑学院教师。

2004年9月油画作品《收获》入选“庆祝中华人民共和国成立五十五周年”福建省美术作品展览。

2005年11月油画作品《构成·回忆》获“美苑杯”学术奖。

2007年7月油画《构成·岁月》入选中华人民共和国庆祝建军八十周年美术作品展 。

2007年12月油画《肖像》、《不再》入选时代精神· 全国人物肖像油画作品展。

2008年9月参加上海艺术博览会青年艺术家推介展。

2009年7月油画《超载之二——信息超载》入选庆祝中华人民共和国建国60周年——福建省当代美术精品大展。

战地乐队

热爱飞翔

刘克俊

1985年毕业于哈尔滨师范大学美术系油画专业，获学士学位。

1996年结业于中央美术学院壁画研修班。

2000任教于黑龙江大学绘画系。

现任华侨大学建筑学院环境艺术设计专业副教授。

艺术创作作品多次参加国家级展览，数幅作品在《美术观察》、《中国美术》等专业刊物发表。

痕迹·一

痕迹・二

马学梅

硕士，讲师。

1978年出生于山东省临沂市，2000年毕业于曲阜师范大学美术系油画专业。在校1997~1999年曾接受乌克兰画家费律宾柯的严格指导。2003~2006年间在福建师范大学进行研究生阶段学习。

2006年起，任教于华侨大学建筑学院，开始进行水彩画的尝试与研究。在建筑学院主要从事基础绘画技法的教学工作。

状态2

姚　波

教授，华侨大学建筑学院美术教研室主任。中国美术家协会会员，福建省美术家协会水彩画艺术委员会委员，中国建筑学会会员，中国建筑学会建筑师分会建筑美术专业委员会委员。作品入选全国美展（曾获优秀奖并被中国美术馆收藏）、中国美术金彩奖作品展（中国美术家协会收藏）等数十次；论文及作品曾发表于《美术》、《文艺研究》、《美术观察》、《装饰》、《中国水彩》等专业期刊。出版《观察与表现——景物建筑写生指要》、《当代水彩画家·姚波》等专著5部。

能见度——新宿

场域——滨水

流传

李　晓

生于1981年，河南南阳人，讲师，硕士。研究方向：环境艺术设计及理论。1999~2003年期间就读于苏州城建环保学院建筑系，2003年至今工作于江苏大学艺术学院环境艺术设计教研室，2008~2011年于南京艺术学院设计学院攻读艺术学硕士学位。

瑶里老宅

瑶里祠堂

唐 文

1966年生，1987年毕业于江西师范大学美术系，长期从事建筑美术教学与研究工作，出版有《建筑水彩画作品与技法》、《建筑钢笔画作品与技法》、《建筑室内外设计徒手表现技法》、《景观设计徒手表现技法》、《当代中国美术家——唐文》5部专著，9幅建筑水彩画入选国家级美术作品展及出国交流展，30余次入选省级美术作品展，多幅作品获奖。9幅建筑美术作品入选全国高等建筑美术统一教材。多幅作品发表于《中国水彩》等核心刊物。十多篇学术论文发表于《中国水彩》、《2004国际工业设计年会》等学术刊物及学术会议论文集。目前主要从事旅游规划、民族城市景观规划与设计、民族环境艺术设计方面的研究，已主持参与完成旅游规划及环艺设计项目上百项,许多项目获奖。

蜀南人家

溯江而上

童祇伟

1983年生于浙江舟山。

2006年6月毕业于南京艺术学院油画专业，获学士学位。

2009年6月毕业于南京艺术学院油画专业，获硕士学位。

2009年9月任教于昆明理工大学建筑工程学院建筑系。

关系——通道里的人物

王燕珍

1982年出生在浙江舟山。

2002年9月~2006年7月就读于杭州师范学院，获学士学位。

2008年9月~2011年7月就读于南京艺术学院，获硕士学位。

2011年7月任教于昆明理工大学城市学院建筑学系。

采秋

赵　刚

1975年出生于山东省德州市。

1998年毕业于山东艺术学院，获学士学位。

2007年毕业于云南艺术学院，获硕士学位。

云南油画学会会员。

现任教于昆明理工大学建筑工程学院建筑学系。

圭山

石寨远眺

谭红毅

毕业于哈尔滨师范大学，黑龙江省牡丹江师范学院美术与设计学院副教授，东南大学艺术学院研究生毕业。从事艺术设计与数字艺术的教学与研究。黑龙江省艺术设计协会会员。有多篇论文先后发表在国家级、省级等学术期刊，作品参加俄罗斯乌苏里斯克画展，入选黑龙江省第九届美术作品展、“鲁艺杯”全国师范院校教师美术作品展。

初晴

董 智

1970生人，毕业于哈尔滨师范大学美术教育系，东南大学建筑学院硕士研究生毕业。南京工程学院讲师，主要从事美术与园林景观设计的教学与研究。黑龙江省美术家协会会员。其作品获得黑龙江省青年画家邀请展一等奖，入选澳大利亚Mosman市文化交流展，获第四届全国钢笔画展优秀奖，入选第十一届全国高等院校建筑与环境艺术设计专业美术作品展等。

冬韵

傅　凯

1988年7月毕业于无锡轻工业学院（现江南大学）工业设计系。
现为南京工业大学建筑学院环境艺术设计系主任，教授，硕士生导师。
研究方向——建筑景观环境艺术。
中国建筑学会建筑师分会建筑美术专业委员会委员。
中国室内设计协会会员。
江苏省美术家协会会员。
江苏省工业设计协会会员。
江苏省致公书画协会理事。
从事环境艺术设计教学和社会实践20多年。
水彩及水墨作品多次参加国内外重要展览并被团体和个人收藏。

秋语

光环

吴晓波

2003年毕业于内蒙古师范大学美术学院，主修国画专业，获文学学士学位，2005年考入内蒙古师范大学美术学院攻读硕士研究生学位，研究方向工笔人物画，2008年毕业后任教于内蒙古工业大学轻工与纺织学院服装艺术设计系至今。

雪域高原

王健民

内蒙古科技大学教授。
中国美术家协会会员。
包头市美术家协会副主席。

执扇仕女

月下

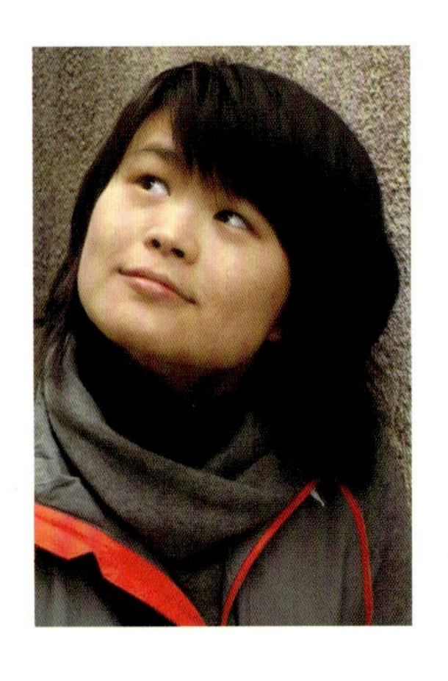

刘　洁

2003年6月毕业于内蒙古师范大学艺术学院雕塑系。

同年至今任教于内蒙古工业大学建筑学院。

2006年9月至2009年7月攻读中国美术学院陶艺系研究生，获硕士学位。

枕石

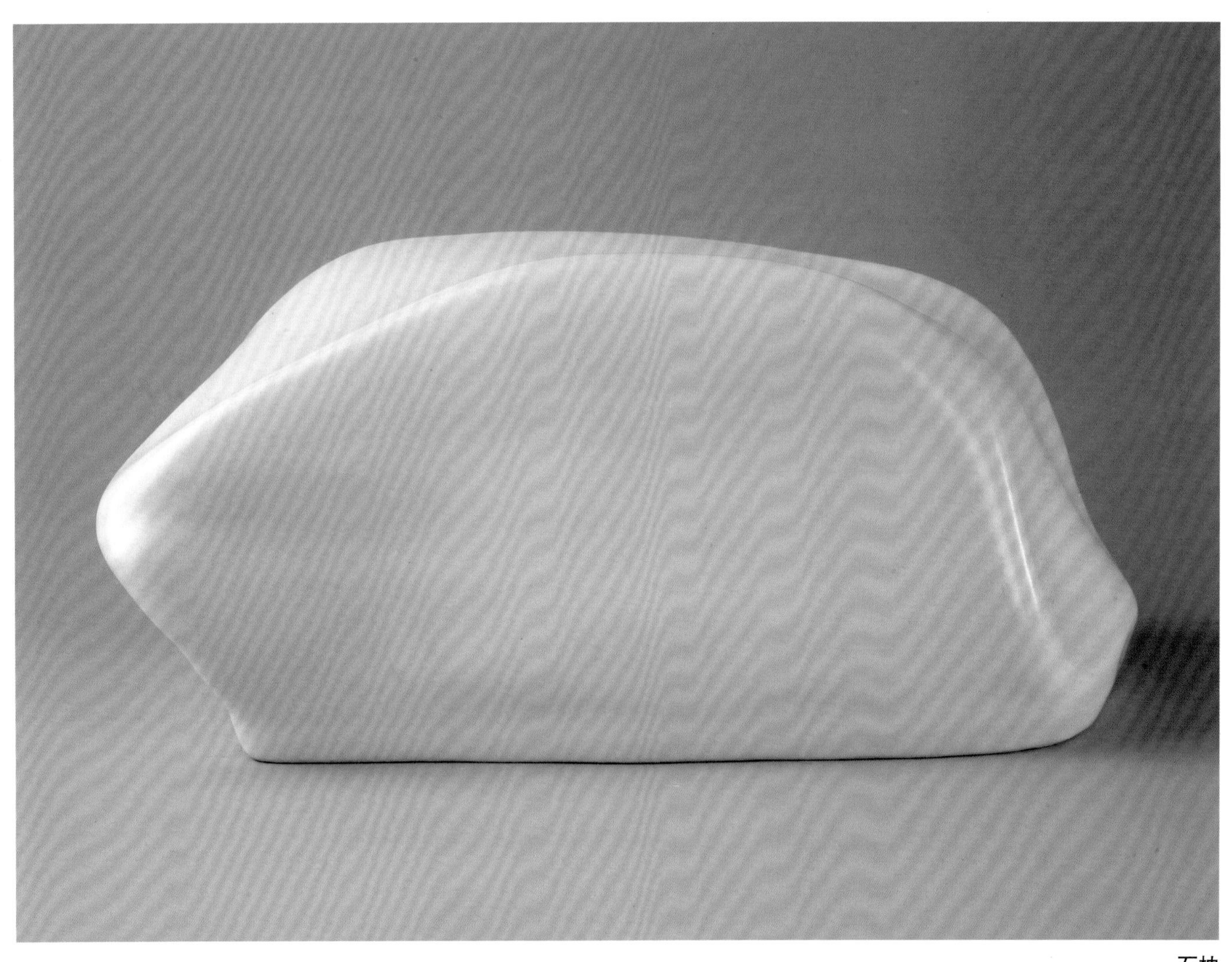

石枕

刘明亮

1972年生，山东新泰人。

2002年毕业于山东艺术学院，获美术学（油画）硕士学位。

2010年毕业于中国艺术研究院，获艺术学博士学位。

中国艺术人类学学会会员，山东省美术家协会会员。

齐鲁师范学院美术学院副院长、副教授、硕士生导师。

梦幻荷塘

桃园记事

翟星莹

就职于山东城市建设职业学院，教师，古建筑工程技术专业负责人。中国钢笔画联盟理事。1964年4月出生于山东省青岛市，1989年毕业于山东工艺美术学院环境艺术系，喜欢用线条表达内心对自然界的感受，2010年获全国第四届钢笔画展铜奖。两幅作品入围2011年全国第五届钢笔画展。

梦中晨辉

失落的伊园

夕阳迷离戏残垣

周建华

山东工艺美术学院建筑景观学院副教授、造型基础教研室主任，山东省美术家协会会员，山东油画学会理事。

主要从事素描、色彩、空间构成等造型基础课的教学与研究，先后在国家级、省级刊物上发表作品100余幅，编著教材5部、个人画集1部。入选国家级、省级画展40余次并获奖。油画作品被徐悲鸿纪念馆、韩国文化基金会、新加坡亚洲艺术家画廊等收藏。

寂

润

夕

周鲁潍

山东建筑大学艺术学院教授、硕士生导师。1983年7月毕业于山东师范大学艺术系油画专业。中国美术家协会山东分会会员、中国建筑学会会员、中国建筑学会建筑师分会建筑美术专业委员会委员、中国室内学会会员。

作品曾参加山东省首届青年美展，山东风土人情画展，中央文化部选拔优秀作品赴奥地利画展，山东首届油画展，山东第六届美术联展，山东第七届美术联展，中国首届民俗画大展，第四届全国水彩、水粉画展，以及全国第二、第三、第四届建筑画大展等，并多次获奖。

编著有《中国东部建筑素描》、《美术基础教育教程》、《美术概论》、《宾馆、写字楼装饰装修100例》、《素描》、《城市景观设计》等书籍。

风景写生

古村落写生之一

古村落写生之二

张志强

中国美术家协会会员。
山东美术家协会理事。
山东油画学会常务理事、副秘书长。
副教授、硕士研究生导师。
任教于山东建筑大学艺术学院。

俚岛写生

孟 鸣

山东泰安人。毕业于山东师范大学美术系，现任山东科技大学艺术学院教授、硕士研究生导师，兼任中国美术家协会会员、山东美术家协会理事、副秘书长、人民美术出版社艺术教育委员会委员、山东水彩画会副会长、世界水彩画联盟成员、山东画院高级画师。作品多次入选全国美展并获奖，2007年、2008年两度应邀赴德国柏林科特布斯举办个人画展。出版个人专著5部。

正午

雪后的早晨

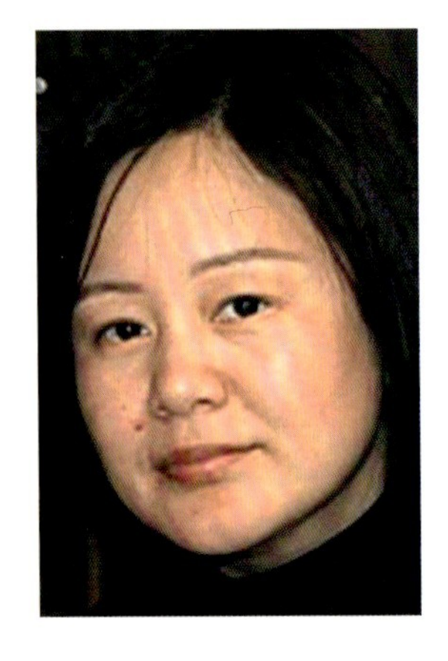

朱春玲

山东轻工业学院讲师。1997年毕业于山东工艺美术学院，硕士研究生在读，1997年以来一直从事设计基础研究和教学，作品多次参加国家及省市设计及绘画展并获奖。

干花

董俊伟

1978年出生于山东省。

1999年毕业于山东艺术学院雕塑系，获学士学位。

2008年毕业于中央美术学院雕塑系，师从隋建国教授，研究当代雕塑和影像创作，获艺术硕士学位。

现任教于山东艺术学院，讲师。

自我调整

丁 芊

1981年出生于上海。

2005年7月毕业于俄罗斯国立师范大学美术系油画专业，分别取得文学学士、文学硕士学位，同年考入俄罗斯列宾美术学院油画系，攻读架上油画创作博士，2008年毕业。2008年10月~2009年7月在俄罗斯列宾美术学院油画系架上油画修复专业进修，现任上海海事大学艺术学教师。

夏日惬意——曾姐

胡应征

又名胡应桢，1982年毕业于湖南师范大学美术系油画专业。在湖南任教期间参加过几届全省美术展览。

1984年10月油画作品《乡亲》入选第六届全国美术作品展览。

1996年毕业于广州美术学院装饰艺术系，获硕士学位。

2002年5月作品《杨柳轻扬》入选全国美术作品展湖南分区展。

现任教于深圳大学。

朝拜

蔡泓秋

1999年油画作品入选《今日中国美术·上卷》。

2001年数码艺术作品参加第一届湖北高校美术教师作品展。

2003年油画作品参加北京中华世纪坛举办的今日中国美术大展。

2005年出版画集《中国艺术家作品鉴藏·蔡泓秋》。

2006~2011年多次参加中国台湾地区绘画作品展。

闲趣系列——听香

丁 鹏

1981年出生于内蒙古赤峰市。

1999年9月~2003年6月就读于鲁迅美术学院美术教育系，获学士学位。

2003年9月~2006年6月就读于鲁迅美术学院油画系第四工作室，获硕士学位。

2007年至今任教于沈阳建筑大学建筑与规划学院景观系美术教研室。

中国建筑学会会员。

青春

高山流水

刘　伟

1974年出生在辽宁。

1998~2002年就读于鲁迅美术学院中国画系，获学士学位。

2006~2008年就读于鲁迅美术学院中国画系，获硕士学位。

现任沈阳建筑大学建筑与规划学院教师。

2008年作品《逍遥游》参加韩国龙山国际美术展，获优秀奖。

山恋

风尘

吴晓云

1957年生于辽宁，1984年毕业于鲁迅美术学院。

现任中国建筑学会会员，中国工艺美术家学会会员，辽宁省美术家协会会员，辽宁省水彩画学会会员，沈阳建筑大学建筑与规划学院教授。

荷花

伊华丰

1970年出生于辽宁省沈阳市。

1995年鲁迅美术学院环境艺术系毕业。

1995年至今任教于沈阳建筑大学建筑与规划学院美术教研室。

中国建筑学会会员。

孵化

陈 畏

首都师范大学副教授，研究生导师。

祥云

守望

天路

岳　鹏

北京美术家协会会员、中国职业摄影师协会会员，先后毕业于北京工艺美术学校，首都师范大学美术学院，分别获文学学士、艺术学硕士学位。从事高校艺术专业教学20余年，副高级职称。主要研究方向为绘画基础教学、油画创作研究等，其艺术见解和作品通过专访等各种形式已被数次发表于国内外主流刊物。

旅途——小镇

南屏晚钟

惠彦芳

生于1981年，籍贯陕西，2007年毕业于西安交通大学艺术系油画专业，获文学硕士学位，2007年至今就职于苏州科技学院。

朔方羊市

姜亚洲

上海市人，1982年1月毕业于哈尔滨师范大学艺术系，现任苏州科技学院建筑与城市规划学院副教授，苏州金螳螂建筑装饰设计院副院长，高级工艺美术师，中国建筑室内设计学会会员，全国百名优秀室内建筑师，全国杰出中青年室内建筑师，全国有成就资深室内建筑师。

1998年获全国室内设计大奖赛优秀奖。

2002年获全国建筑装饰工程设计奖。

2006年获“雷士杯”照明设计大奖赛金奖。

2002年粉画《维也纳大教堂》获第六届全国水彩水粉画展优秀奖。

编写多部个人水粉画集、水彩画集、建筑速写集、室内设计论著。

同里三桥

金　纬

1958年出生，1982年毕业于山西大学美术系，1992年毕业于鲁迅美术学院油画系研究生班，中国美术家协会会员，江南油画雕塑院学术委员会副主席，现任苏州科技学院建筑与城市规学院美术教授。

从事高校美术教学和美术创作工作多年，作品多次入选全国和省、市美术展览并获奖。有作品被博物馆、画廊或私人收藏。

由中国文联出版社出版《21世纪中国优秀画家——金纬画集》。

著有《色彩写生的画理与画法》、《速写技法》等专业教材，并在多种专业美术刊物上发表文章和作品。

太湖晨雾

孙　云

1971年10月生，江苏吴江人。
1996年毕业于中国美术学院油画系。
2002年赴法国巴黎国际艺术城考察研修。
2010年获苏州大学艺术学院艺术硕士学位。
现为苏州科技学院建筑美术教研室主任。

正午

尤永玢

1981年生于苏州，2000~2007年于南京艺术学院美术学院油画系学习，师从沈行工、陈世宁等，获硕士学位，现为苏州科技学院建筑与城市规划学院艺术设计系讲师。作品多次入选各类展览，其中油画作品《车站即景》、《徽之一·晴》分别入选第五、第七届江苏油画展。油画作品《烈女舍身炸日军列车》收藏于南京大屠杀纪念馆。参与《中国油画名家与金陵鼓楼》一书和高等院校建筑美术系列教材《建筑速写》的编写，并有多篇论文发表于专业刊物。

车站即景

于　亨

中国美术家协会会员，苏州科技学院美术副教授，中国艺术研究院访问学者。作品多次入选全国美展，曾在法国巴黎、中国美术馆、北京当代美术馆、台湾高雄、苏州、呼和浩特等地举办画展，或在《美术》、《美术观察》、《美术研究》等多家专业杂志发表。作品《童梦》被中国美术馆收藏，《大山人家》被中国对外艺术展览交流中心收藏。2002年获国家人事部当代中国画杰出人才奖。1999年黑龙江美术出版社出版《水乡缘于亨画集》，2002年中国文联出版社出版《于亨画集》，2009年黑龙江美术出版社出版《于亨国画山水画集》，2011年人民美术出版社出版《中国美术家协会会员于亨图册》，2011年现代文化出版社出版《于亨画集》。

屏山老宅

绮阁飘香

周恺宁

1970出生于南京。

1997南京艺术学院油画本科毕业。

江苏省美协会员。

现任教于苏州科技学院建筑与城市规划学院。

作品多次参加省、市级展览并获奖。

编著有《素描佳作摹本——肖像》、《素描佳作摹本——石膏像》。

烟雨江南

吕晓颖

1981年生于山东昌邑，2007年6月毕业于南开大学东方艺术系美术学专业并获硕士学位，主攻中国花鸟画，师从李春霞教授，目前任教于唐山学院，从事图形图像制作专业课程的教学工作。

入门唯觉——庭香

尚金凯

1962年出生于天津，1989年7月毕业于天津美术学院。现就职于天津城市建设学院城市艺术学院院长，教授。兼任天津美术家协会水彩专业委员会副会长、天津市市容专家委员会委员、中国建筑师学会室内设计分会理事、天津建筑学会环境艺术设计专业委员会副主任、中国建筑学会建筑美术专业委员会委员、中国包装联合会委员、天津工业设计协会常务理事、天津装饰协会常务理事。专攻建筑水彩创作和研究，作品题材以城市为主，作品形式不拘小节，不求水彩的魅力，但求水彩的表现。作品多次入选各种展览，出版了《津门洋楼》等专著。

春雪

看着我

不过如此

吕少英

生于山东莱阳，本科就读于曲阜师范大学美术系，学习中国画专业，研究生就读于南开大学东方艺术系，师从范曾、陈玉圃、韩昌力诸先生，主攻中国花鸟画，2004年获得硕士学位。发表学术论文20多篇，多幅作品刊登在美术类核心刊物、画册上，其作品多被各机构和个人收藏。出版有《吕少英国画作品选》（山东美术出版社出版）、《没骨花鸟画技法全解》（杨柳青画社出版）。

现为天津市美术家协会会员，天津美协艺术理论委员会理事，天津城市建设学院艺术系副教授。

翠染晨雾

高玉国

现任教于天津工业大学艺术学院，教授。

毕业于河北师范大学美术系本科（现美术学院）。

1997年7月中央美术学院国画专业研究生班毕业。

2010中央美术学院国画学院访问学者。

秋雨

夏梦

伍璐璐

祖籍湖北宜昌，1982年出生。

2007年，毕业于中央美术学院壁画系，获文学硕士学位。

现任教于天津美术学院公共艺术系。

中国壁画学会会员，中国环境艺术协会会员。

初生

巢

爱的阳光

包　蓉

云南人，西南林业大学艺术学院景观设计系讲师，2003年毕业于四川美术学院环境艺术设计专业，获文学学士学位，2009年获西南林业大学风景园林硕士学位。从事景观设计及设计基础教学工作，研究方向为生态景观设计理论与实践，地域性景观设计理论与实践。

年华

廖 瑜

籍贯四川南江，生于1970年，现任职于西南林业大学艺术学院。

1990年考入西南大学美术学院美术教育专业，毕业获学士学位 。

2005年考入四川美术学院研究生院油画系油画专业，毕业获硕士学位。

大奔系列之九

马传经

1981年出生于山东鄄城。

2009年，毕业于浙江师范大学美术学院油画专业，获文学硕士学位。

现工作于西南林业大学艺术学院。

云南美术家协会会员。

中国高校美术家协会理事。

闲暇

王东焱

副教授，设计艺术学硕士生导师，西南林业大学景观设计系主任。

承担课程有：油画、环境艺术设计、设计表现图技法、建筑造型设计等。

主持项目有：后现代主义园林风格研究、云南景观桥梁造型研究、龙凤庄园别墅区景观设计、云南民族文化生态村二期、西南地区景观设计人才培养等。

女人体9号

崔稼夫

烟台大学建筑学院教授。

30余年致力于高校美术基础教学、油画创作和民间美术研究。《流水人家》、《黄土魂》、《山情》等作品入选全国水粉水彩画展览等全国重要画展。《中国当代油画状态的审视》、《胶东面模艺术与民俗文化特征》、《民间美术与素描多维相融的思考》、《民间美术资源与驻地高校美术课程体系之间的关系思考》、《烟台玉石面模的艺术品质》等20余篇论文发表在《装饰》、《美术研究》、《美术观察》、《山东师范大学学报》等刊物。研究成果多次在国际国内学术会议上交流。

土峪沟的阳光

董贵晗

1993年毕业于鲁迅美术学院绘画系，后致力中国智慧美学研究，倡导艺术回归自然、回归自我、回归心灵，创立中国回归画派。现为烟台市民间文艺家协会副主席、莱山区美协主席、烟台开明书画院名誉院长、烟台大学副教授。

曾多次赴日本、韩国举办作品展览并进行艺术交流与考察，其美术作品参加国家级、省级各类展览20余次，并多次参加美国、荷兰、日本、韩国等国际性展览，深受好评并有近百件油画作品被国内外友人及收藏界人士收藏。

紫气蕴生机

李　鸣

山东烟台人，1982年毕业于曲阜师范大学美术系，现为烟台大学美术学教授,中国美术家协会会员。作品多次参加国内外展览并多有获奖。作品曾在美国、加拿大、新加坡、韩国、日本、澳大利亚等国家展出并被收藏。专集《李鸣工笔人物画》、《李鸣古代仕女作品精选》分别由荣宝斋出版社、天津杨柳青画社出版。

红蜻蜓

曲晓莉

烟台大学建筑学院教授，山东省女书画家协会理事，烟台市美术家协会主席团成员。

秋韵

清韵

王金花

1999毕业于东北师范大学美术学院，获文学学士学位。

同年于烟台大学建筑学院任教。

2006~2007年作为访问学者赴清华大学交流学习。

2011年青岛大学美术学院硕士研究生毕业。

水彩人体

王丽娟

毕业于东北师范大学美术学院，烟台大学建筑学院副教授。1995年油画《艺术·真实·生命》入选文化部中国女美术家作品展览，并被中国美术馆收藏。油画以写实见长，风格古典、唯美、隽永。

阳光

王岩松

毕业于中央美术学院壁画系，获硕士学位，现任烟台大学建筑学院副教授，美术教研室主任，烟台大学公共艺术研究所所长，烟台市美术家协会副主席，中国壁画学会会员。

2008年受聘担任北京奥运会开、闭幕式视觉美术设计，获奥组委颁发优秀个人荣誉称号。

2009年受聘担任首都国庆60周年群众游行活动领袖画像创作团队画家，获专家荣誉称号。

2010年为第16届亚洲运动会贵宾接待厅绘制大型壁画作品《木棉花开》并被广州亚运会海心沙贵宾接待厅永久收藏。

2011年油画《近代民族企业的先驱——张弼士》入选并签约山东省重大历史题材美术创作工程。

酿造1

酿造2

王永国

1961年出生。油画专业硕士，烟台大学副教授，中国美术家协会山东分会油画艺委会委员。山东油画学会常务理事，烟台美术家协会副主席，烟台油画学会主席。

油画作品在《中国油画》、《美术研究》、《装饰》、《江苏画刊》、《艺术界》等杂志发表，论文在《美术研究》、《艺术界》、《北方美术》等杂志发表。作品编入《体验与试验优秀作品展》、《中国当代油画百人作品集》、《中国第三届油画展优秀作品集》。上海电视台、山东电视台等曾专题报道，作品被国内外收藏家收藏。

沧桑

秋色

邢延岭

号一易，山东乐陵人，中国画家协会会员。毕业于南开大学文学院东方文化艺术系中国画专业，获文学学士学位，师从范曾、杜滋龄、陈玉圃，第五届中央美院美术批评方法研修班结业，南京大学艺术硕士，现任教于浙江农林大学，作品发表于《美术观察》、《浙江教育信息报》、《美术大观》、《艺术与收藏》等相关刊物。常年从事国画和书法教学，并给外国学生讲授国画、书法课，教学事迹《钱江晚报》、《人民日报（海外版）》均有报道。作品被美国、加拿大、澳大利亚、芬兰、日本等国际友人收藏。

云山嘉木

吴　忠

1978年生，中国当代陶艺家、画家，浙江省美术家协会会员，国际高岭陶艺家协会会员，浙江万里学院设计艺术与建筑学院讲师。出身于传统陶瓷世家并接受正统陶瓷教育，毕业于景德镇陶瓷学院陶瓷艺术设计专业，硕士。

果

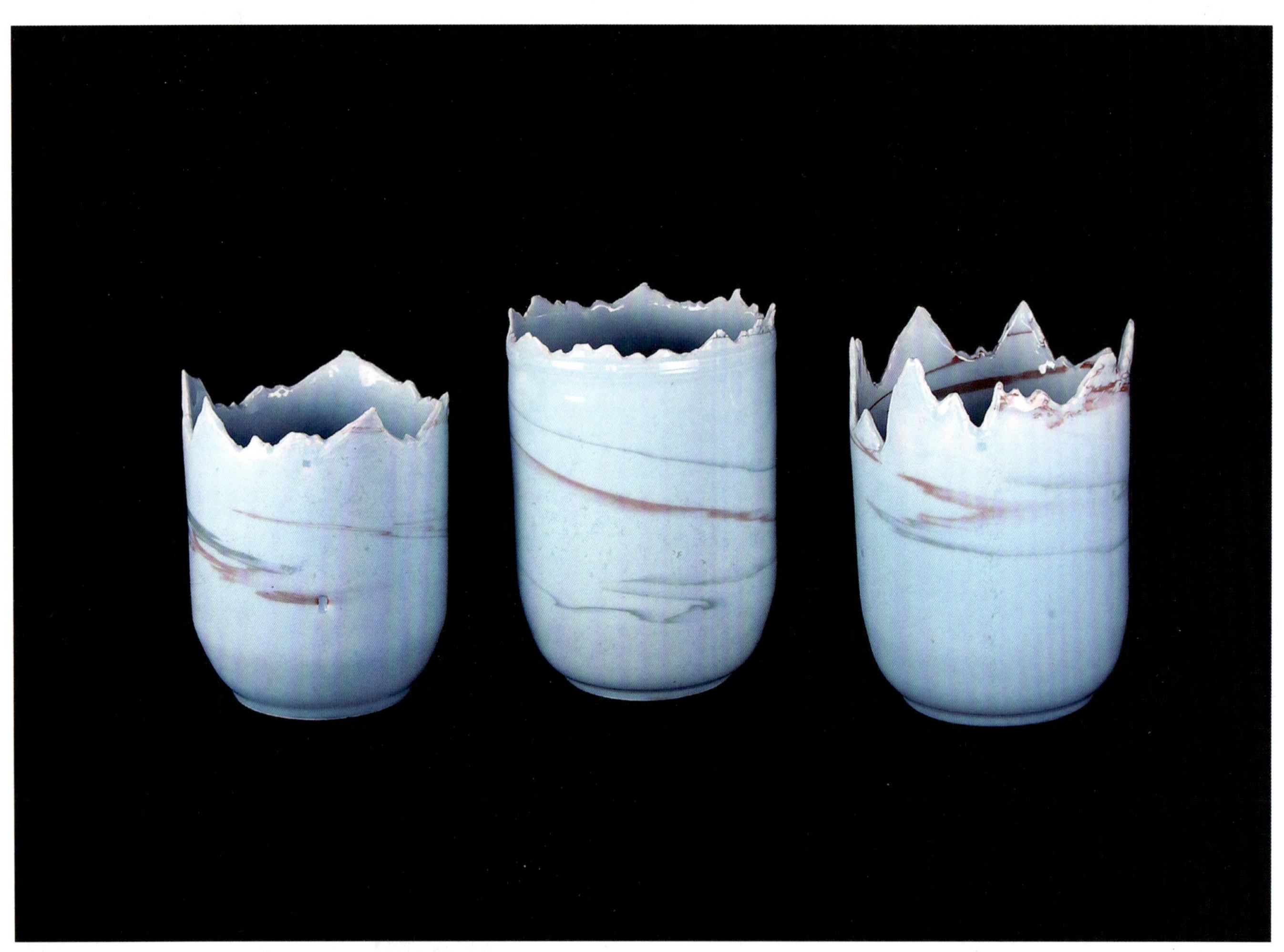

钱湖烟雨